작은 것들을 위한 시

일러두기

- 시와 노래는 「 」로, 드라마 제목은 〈 〉로 표기했다.
- 이 책에 수록된 BTS 가사 인용은 한국음악저작권협회의 승인을 받았다.
- 가사의 맞춤법과 띄어쓰기는 작사가의 의도를 훼손하지 않는 내에서
  국립국어원의 표기를 따랐다.

BTS 노래산문

작은 것들을 위한 시

나태주 지음

열림원

'춤추는 별을 낳으려면 혼돈을 지녀야 한다'

-니체

프롤로그

낯선 길 위에서

예원아, 너도 잘 알 거야. 방탄소년단, BTS. 한국을 세계에 알리고 있는 우리의 일곱 소년. RM, 진, 슈가, 제이홉, 지민, 뷔, 정국. 노래하는 천사, 사랑스런 요정들.

우리 한국의 자부심이요, 한국의 문화 홍보대사. 너도 무척 그들을 사랑하고 좋아할 거야. 그들의 몸짓 하나하나, 표정 하나하나. 영혼을 통과하는 눈빛들.

사람들은 그들의 노래를 좋아하지만 나는 그들의 노랫말에 관심이 있어. 아마도 내가 시를 쓰는 사람이라서 그럴 거야. 나는 처음 그들의 노래가 세계의 젊은이들이 열광하는 노래라 그래서 영어로만 된 노랫말인 줄 알았지 뭐냐.

그런데 말이야. 한국말로 된 거야. 한글. 우리의 세종 임금이 백성의 답답함과 고달픔을 덜어주기 위해 만들었다는 그 한글로 되었다는 거야. 이것은 하나의 놀라움. 하나의 발견. 아, 그 감격! 고마움이라니!

"아는 만큼 보인다"라는 말이 있어. 일찍이 "사랑하면 알게 되고 알면 보이나니, 그때 보이는 것은 이전에 보이던 것과는 다를 것이다"란 말도 있어. 나는 여기에 한마디를 보태고 싶어. "모르는 만큼 보인다."

사실 세상엔 우리가 모르는 것 천지야. 그렇지만 나는 느낄 수는 있어. 뉴턴도 그렇게 말했다는구나. "나는 세상에 와 바닷가 모래밭의 모래알 몇 개 만지다 간다." 이 얼마나 놀라운 겸손이니!

실상 나는 아는 게 많지 않아. 그렇지만 무엇인가를 느끼고 좋아하는 마음은 있고, 누군가를 사랑하는 마음은 많은 사람이야. 그 사랑하고 좋아하고 느끼는 마음으로 한번 BTS, 우리 방탄소년단의 노랫말을 따라가볼까 그래.

예원아, 같이 가줄래? 나는 영어를 잘 몰라. 얼핏 BTS 노랫말들을 보니 줄기는 한글이지만 가지나 잎새 부분엔 영어가 자주 들락거리고 있네. 네가 영어를 잘 아니까 내가 모르는 영어를 좀 알려주렴.

이것은 내가 알지 못하는 낯선 길이야. 하지만 너만 같이 가준다면 이 길을 성공적으로 갈 수 있을 것 같아. 부탁한다. 좀 도와다오. 같이 가자. 낯선 길에서 우리 낯설지 않은 구름과 바람으로 만났으면 좋겠구나.

서시

작은 것이 아름답다

세상 사람들 새것만을 좋아하지
그게 인지상정 사람들 마음이야
새것만을 원하고 화려한 것,
비싼 것들만 찾아서 눈을 돌리지
오래된 것, 작은 것, 초라한 것,
낡은 것들에겐 관심조차 없지

그렇지만 말야
그게 정답일까?
끝까지 그럴 수 있을까?
오래된 것, 작은 것, 초라한 것,
낡은 것들을 제치고
새것과 큰 것과 화려한 것,
값비싼 것들이 저 혼자
존재할 수 있을까?

생각해봐, 조금만
마음을 조아려 생각해봐
세상에서 가장 귀한 것들은
오래되고 낡은 것이고
초라한 것이고 작은 것들이야
왜 그걸 몰라
왜 그런 것을 눈감아

가족이 그렇고 우리의 집이 그렇고
내가 사용하는 물건 하나하나가 그렇고
내가 알고 지내는 사람들, 이웃들,
나의 친구가 그렇고
그 무엇 그 누구보다 내가 사랑하는 것들
내가 사랑하는 사람들이 그래

오래되고 작고 초라하고

낡은 것들이 소중하고 나에게
의미 있는 것들이라는 것을
아는 순간 나의 세상은
새롭게 눈을 뜨는 세상이지
그야말로 새로운 세상
눈부신 세상이 되지

작은 것이 아름답다
오래된 것이 소중하다
초라하고 버려진 것, 낡은 것들이
귀한 존재들이다
그것은 새로운 눈뜸이고
새로운 시작 그 출발점이야

겨자씨라는 말이 있어
겨자씨를 사랑하란 말이 있어

겨자씨는 바람에 날릴 만큼
작고 보잘것없어도
싹이 터서 자라면 울울창창
커다란 나무가 된다는 사실!

부디 너의 마음속 콩의
씨앗을 보지 말고
소나무 씨앗을 보기 바라
소나무 씨앗은 비록 콩의
씨앗보다는 턱없이 작아도
집의 높이보다 크게 자라는
나무라는 사실 말이야

부디 콩의 씨앗을 커다란 함지에
심어 기르지 말고
소나무 씨앗을 그렇게 하기 바라

콩의 씨앗은 아무리 크고 잘생겼어도

콩의 씨앗일 뿐이야

적어도 너는 솔의 씨앗이란 것

잊지 말아줘, 부탁이야.

차례

PART 1

PART 2

PART 3

모든 게 궁금해 How's your day

Oh tell me

뭐가 널 행복하게 하는지

Oh text me

1

PART

작은 것들을 위한 시(Boy With Luv)

모든 게 궁금해 How's your day
Oh tell me
뭐가 널 행복하게 하는지
Oh text me

Your every picture
내 머리맡에 두고 싶어 oh bae
Come be my teacher
네 모든 걸 다 가르쳐줘
Your 1, your 2

Listen my my baby 나는
저 하늘을 높이 날고 있어
(그때 니가 내게 줬던 두 날개로)
이제 여긴 너무 높아
난 내 눈에 널 맞추고 싶어

Yeah you makin' me a boy with luv

Oh my my my oh my my my
I've waited all my life
네 전부를 함께하고 싶어
Oh my my my oh my my my
Looking for something right
이제 조금은 나 알겠어

I want something stronger
Than a moment, than a moment, love
I have waited longer
For a boy with
For a boy with luv

널 알게 된 이후 ya 내 삶은 온통 너 ya

사소한 게 사소하지 않게 만들어버린 너라는 별
하나부터 열까지 모든 게 특별하지
너의 관심사 걸음걸이 말투와 사소한 작은 습관들까지

다 말하지 너무 작던 내가 영웅이 된 거라고 (Oh nah)
난 말하지 운명 따윈 처음부터 내 게 아니었다고 (Oh nah)
세계의 평화 (No way)
거대한 질서 (No way)
그저 널 지킬 거야 난 (Boy with luv)

Listen my my baby 나는
저 하늘을 높이 날고 있어
(그때 니가 내게 줬던 두 날개로)
이제 여긴 너무 높아
난 내 눈에 널 맞추고 싶어
Yeah you makin' me a boy with luv

Oh my my my oh my my my

You got me high so fast

네 전부를 함께하고 싶어

Oh my my my oh my my my

You got me fly so fast

이제 조금은 나 알겠어

Love is nothing stronger

Than a boy with luv

Love is nothing stronger

Than a boy with luv

툭 까놓고 말할게

나도 모르게 힘이 들어가기도 했어

높아버린 sky, 커져버린 hall

때론 도망치게 해달라며 기도했어

But 너의 상처는 나의 상처
깨달았을 때 나 다짐했던 걸
니가 준 이카루스의 날개로
태양이 아닌 너에게로 Let me fly

Oh my my my oh my my my
I've waited all my life
네 전부를 함께하고 싶어
Oh my my my oh my my my
Looking for something right
이제 조금은 나 알겠어

I want something stronger
Than a moment, than a moment, love
Love is nothing stronger
Than a boy with luv

사랑에 빠진 소년

「작은 것들을 위한 시(Boy With Luv)」. 제목부터가 가슴에 훅 들어왔어. 젊은이들 어투로 그야말로 내 취향이었거든. 너의 번역을 참고해가면서 읽을 때 서서히 가슴이 뜨거워지면서 두근거리기까지 했어.

내 마음속에 잠들어 있던 소년이 천천히 눈을 뜨기 시작했던 거야. 세상에 이런 노래가 있고 이런 노랫말이 있었단 말야. 처음부터 압도야. 그냥 사람 마음을 붙잡고 일렁거려. 그냥 그대로 사랑에 빠진 소년의 고백이네. 사랑이야말로 매직이고 기적, 새로운 세상에 대한 눈뜸, 또 다른 내가 되는 계기.

그냥 그대로 마음에 날개를 달고 하늘에 붕 뜨고 말지. 그가 아무리 나이 든 사람이라 해도 나이를 잊게 하지. 모두가 사랑을 선사한 상대방, 너 때문이야. 너 때문에 해가 뜨고 해가 지는 날들이 계속되지. 네 앞에서 나는 여지없이 작아지고 약해지고 부드러워지고 말아. 그렇지만 그것은 나를 슬프게 하지 않아.

나의 모든 일상은 오로지 너 때문에 있는 거야. 나는 없어져. 그대로 0이 되고 말아. 그래도 억울하지 않아. 내 마음과 몸을 모두 너로 채워. 그래도 나는 속상하지 않아. 오히려 기쁜 마음이야. 오히려 더 많은 것을 가진 느낌이야. 승리감, 만족감. 이런 마음을 사랑이 아니고서 그 어떤 감정이 데려다줄까.

온통 너야. 세상 자체가 너야. 보이는 것마다 너이고 들리는 것마다 너이고 느끼는 것마다 너야. 너는 이 세상 전체가 되고 말아. 너 하나로 꽉 차버린 세상. 나는 그만 바람이 되어 허공을 흐르기 시작해. 구름이 되어 하늘에 두둥실 떠올라. 수풀이 되어 산기슭에 우뚝 서기도 하고 서러운 강물이 되어 바다로 흐르기도 해.

그런 마음이 무엇이든 되지 못할까! 나에겐 '세계의 평화'나 '거대한 질서' 그런 것 따윈 안중에도 없어. 오직 너만이 있을 뿐이야. 너만이 가득할 뿐이야. 너와 함께 하늘을 날고 허공을 흐르는 마음. 사랑은 그러기에 비천하고 소심

하고 나약하기만 한 우리를 용감한 사람으로 만드는 묘약이 되기도 해.

“널 알게 된 이후 ya 내 삶은 온통 너 ya/ 사소한 게 사소하지 않게 만들어버린 너라는 별/ 하나부터 열까지 모든 게 특별하지/ 너의 관심사 걸음걸이 말투와 사소한 작은 습관들까지.” 이런 대목은 그대로 내 마음이야. 그렇지, 사랑의 마음이란 저 마음이 내 마음이지. 거기서부터 오는 거니까.

“Love is nothing stronger/ Than a boy with luv.” 이 대목이 너는 좋다고 했지. 그래, 나도 좋아. “사랑 그 자체는 사랑을 하는 소년보다 대단한 것이 못 돼.” 이것이 너의 번역. 고마워. 나의 마음이 너의 마음이 되는 순간이야. 사랑은 두 사람의 마음을 하나로 만들어주기도 해. 이 또한 기적이고 매직이지.

Tomorrow

같은 날, 같은 달

24/7 매번 반복되는 매 순간

어중간한 내 삶

20대의 백수는 내일이 두려워 참

웃기지 어릴 땐 뭐든 가능할 거라 믿었었는데

하루를 벌어 하루를 사는 게 빠듯하단 걸 느꼈을 때

내내 기분은 컨트롤 비트, 계속해서 다운되네

매일매일이 Ctrl+C, Ctrl+V 반복되네

갈 길은 먼데 왜 난 제자리니

답답해 소리쳐도 허공의 메아리

내일은 오늘보다는 뭔가 다르길

난 애원할 뿐야

니 꿈을 따라가 like breaker

부서진대도 oh better

니 꿈을 따라가 like breaker

무너진대도 oh 뒤로 달아나지 마 never

해가 뜨기 전 새벽이 가장 어두우니까
먼 훗날에 넌 지금의 널 절대로 잊지 마
지금 니가 어디 서 있든 잠시 쉬어가는 것일 뿐
포기하지 마 알잖아

너무 멀어지진 마 tomorrow
멀어지진 마 tomorrow
너무 멀어지진 마 tomorrow

우리가 그토록 기다린 내일도
어느새 눈을 떠보면 어제의 이름이 돼
내일은 오늘이 되고 오늘은 어제가 되고
내일은 어제가 되어 내 등 뒤에 서 있네
삶은 살아지는 게 아니라 살아내는 것,

그렇게 살아내다가 언젠간 사라지는 것
멍 때리다간 너, 쓸려가 If you ain't no got the guts, trust
어차피 다 어제가 되고 말 텐데 하루하루가 뭔 의미겠어
행복해지고, 독해지고 싶었는데
왜 자꾸 약해지기만 하지 계속
나 어디로 가,
여기로 가고 저기로 가도 난 항상 여기로 와
그래 흘러가긴 하겠지 어디론가,
끝이 있긴 할까 이 미로가

갈 길은 먼데 왜 난 제자리니
답답해 소리쳐도 허공의 메아리
내일은 오늘보다는 뭔가 다르길
난 애원할 뿐야

니 꿈을 따라가 like breaker

부서진대도 oh better

니 꿈을 따라가 like breaker

무너진대도 oh 뒤로 달아나지 마 never

해가 뜨기 전 새벽이 가장 어두우니까

먼 훗날에 넌 지금의 널 절대로 잊지 마

지금 니가 어디 서 있든 잠시 쉬어가는 것일 뿐

포기하지 마 알잖아

너무 멀어지진 마 tomorrow

Tomorrow, 계속 걸어 멈추기엔 우린 아직 너무 어려

Tomorrow, 문을 열어 닫기엔 많은 것들이 눈에 보여

어두운 밤이 지나면 밝은 아침도 있듯이, 알아서

내일이 오면 밝은 빛이 비추니, 걱정은 하지 말아줘

이건 정지가 아닌 니 삶을 쉬어가는 잠시 동안의 일시 정지

엄지를 올리며 니 자신을 재생해 모두 보란 듯이

니 꿈을 따라가 like breaker
부서진대도 oh better
니 꿈을 따라가 like breaker
무너진대도 oh 뒤로 달아나지 마 never

해가 뜨기 전 새벽이 가장 어두우니까
먼 훗날에 넌 지금의 널 절대로 잊지 마
지금 니가 어디 서 있든 잠시 쉬어가는 것일 뿐
포기하지 마 알잖아

너무 멀어지진 마 tomorrow
멀어지진 마 tomorrow
너무 멀어지진 마 tomorrow

어제 오늘 그리고 내일

한참 전의 일일 거야. 미국의 서부, 로스앤젤레스, 우리 한국의 교포 문인들이 초청해주어서 문학 강연을 여러 차례 가본 일이 있었지. 그때 한 여성 문인의 안내로 수목원을 구경 간 적이 있었단다. 거기서 허밍버드(hummingbird), 우리말로는 벌새를 맨 처음 가깝게 만나보기도 했었지.

그때 허밍버드와 함께 본 것이 '어제 오늘 그리고 내일'이라는 이름을 가진 꽃이었지. 영어 이름으로는 '예스터데이 투데이 앤 투모로우(yesterday today and tomorrow)'. 하나의 나무에 피어 있는 꽃들의 색깔이 달랐단다. 어제 핀 꽃은 연보라색인데 오늘 핀 꽃은 보라, 그리고 이틀이 지난 꽃은 흰색. 꽃이 핀 날짜에 따라 꽃 빛깔이 이렇게도 확연히 구분된다는 게 신기했어.

그래서 꽃의 이름이 '어제 오늘 그리고 내일'이었던가봐. 그러나 그것은 꽃의 일이고 우리 사람의 일은 그렇게 확연히 어제와 오늘과 내일이 구분되지 않는다고 봐. 나는 말하곤 해. 오직 우리에게 유의미하고 중요한 건 오늘뿐이고 어제는 흘러간 오늘이고 내일은 오지 않은 오늘이라고.

하지만 인간만이 내일을 꿈꾸고 내일을 위해 발돋움해. 오늘의 삶이 비록 성공적이지 못하고 심지어 고통스럽기까지 하더라도 내일이라는 또 다른 오늘을 믿고 오늘의 실패와 고통까지 인내한다고 봐. 그것을 우리는 희망이라 말하고 꿈이라 말하지. 그야말로 고마운 일이야. 이러한 꿈마저 없다면 어떻게 오늘의 힘겨움을 견디겠어.

BTS, 방탄소년단. 휘황찬란 빛나는, 아름다운 젊은이들. 그들이 부르는 노래. 나는 처음 그들의 노래 역시 휘황찬란 빛나기만 할 줄 알았어. 그런데 정작 가사 내용은 안 그런 거야. 오늘날 '미생'이니 '취준생'이니 해서 고통스러워하는 보통 젊은이들의 심정과 형편과 꿈을 그대로 담고 있는 거야.

가슴이 먹먹하다는 표현이 있는데 바로 그런 심정이야. 분명 빠른 템포의 음악으로 듣는다면 더욱 그 느낌은 격렬하고 실감이 날 거야. 아, 그렇구나. 그래서 방탄소년단인

거구나. 그래서 한국의 젊은이들만이 아니라 전 세계 젊은이들이 열광하는 거구나. 반복되는 이런 가사는 나이 든 내 가슴도 울려줘. 그러니 젊은 네 가슴은 더욱 감동 쪽으로 줄달음치겠지.

“해가 뜨기 전 새벽이 가장 어두우니까/ 먼 훗날에 넌 지금의 널 절대로 잊지 마/ 지금 니가 어디 서 있든 잠시 쉬어가는 것일 뿐/ 포기하지 마 알잖아.” 결국 이 노래는 우리에게 미래의 희망을 잃지 말라고 종용하는 노래이고 또 용기를 북돋워주는 노래였던 거야.

Rain

(비가 오는 짙은 색 서울 그 위에)

달리는 차들, 사방에 꿈틀대는 우산들

날씨는 흐림 공기는 맑음

(저 비가 그쳐 고인 물 위에 비쳐진)

연회색 배경의 난 왜 여기 멈춰 섰을까

생각이 많은 건지 없는 건지 잘 몰라

바깥이 환해졌을 때쯤 잠에서 깨

피곤에 찌든 손으로 연신 머리를 쓸어대

지난밤 완성치 못한 노래의 메모장

오늘은 끝낸다 눈 질끈 감고 한숨 푹 쉬어보네

뭐라 변명해? 말 지어보네

어차피 못 한 거 그냥 아무 말이나 지어 보내

시선을 돌린 창밖은 온통 회색빛

회색 시의 회색 빌딩, 회색 길 위의 회색 비

이 세상 모든 게 느려

잠에서 깬 동생 자꾸 말끝을 흐려

죄 없는 냉장고 또 열었다 닫어

밀려온 알 수 없는 허전함에

일단 나가야겠다고 생각하지

우산도 하나 없이

선명해 비들이 세상에 닿는 소리

피식 웃어, 최고의 배경음악

미친놈처럼 콧노래를 흥얼거린다

몇 시일까

비가 오는 짙은 색 서울 그 위에

여전히 잠 못 이루는 내가 흐려지네

저 비가 그쳐 고인 물 위에 비쳐진

오늘따라 더 초라한 내가 그려지네

비 내리는 밤 창문을 노크하는 비는 때리지 마음을
시큰한 어깨를 잡고 확인한 문자 “요즘 어때?”
친구의 안부 문자는 나를 감성에 젖게
만들지 눅눅한 빗방울 향기를
맡으며 기지개를 편 다음 난 화장실로
간 뒤 잠에서 덜 깬 거울 속 내게 인사한 뒤
만날 사람도 없는데 괜히 더 길게 샤워를 하지
숙소 밖 여전히 비는 내리네
갈 곳도 딱히 없는데 우산을 챙긴 채
처벅처벅 걸어 정처 없이
더러워진 신발에 비는 존재를 알리듯 흔적을 새기네
이처럼 난 너에게 비처럼 흔적을 새긴 사람일까
그게 아니라면 갑자기 내린 소나기처럼
그저 왔다 가는 존재는 아닐까

비가 오는 짙은 색 서울 그 위에

여전히 잠 못 이루는 내가 흐려지네
저 비가 그쳐 고인 물 위에 비쳐진
오늘따라 더 초라한 내가 그려지네

몸을 일으켜 찌뿌둥하다고 느낄 쯤 창문을 볼 때
내 몸을 예상이라도 한 듯 비가 내리고 있네
창문에 맺혀 있는 빗물들 바라보며 느끼지
마치 내 마음속을 흐른 눈물들
미묘함 뒤로 밖을 보면 내 상황 같애
선율같이 내리는 비에 모두 다 안단테
준비를 하고 나가, 내 인상처럼 구겨진 우산을 쫙 펴고
걸으며 빗소릴 듣는 순간
이 비는 누굴 위해서 내리는 걸까?
쓸쓸한 회색 시멘트 위 부딪혀 때리는 청각
Come slow down

비가 오는 짙은 색 서울 그 위에
여전히 잠 못 이루는 내가 흐려지네
저 비가 그쳐 고인 물 위에 비쳐진
오늘따라 더 초라한 내가 그려지네

나 이 비가 멎어도 저 구름이 걷혀도
우두커니 서 있어 이 모습 그대로
아무 말도 않은 채 세상을 내려다봐
거긴 아름답지 못한 내가 날 보고 있어

화사함을 너에게

이 노래는 또 영 다르네. 노래의 주인공은 한 사람이야. 도시에 혼자 사는 한 사람. 독백체야. 그것도 비 오는 날, 우울한 날, 마음도 가라앉고 몸도 가라앉은 날. 장소가 서울 도심 한복판이네.

회색빛 하늘, 회색빛 마음. 도시의 정서는 일견 활기차고 아름답고 화려한 것 같지만 그 속내는 어둡고 그늘지고 우울한 것. 세계적인 도시 서울도 마찬가지야. 서로 다른 얼굴을 지닌 도시에 갇혀 사는 한 사람과 만나게 돼.

자존감이 많이 떨어져 있는 사람인가봐. 실상 자존감이란 까다로운 것. 나 자신을 높이되 스스로 높이는 것. 다른 사람과 비교하여 나를 높이는 마음이 아니지. 그래서 자존감은 자존심이란 말과 비슷하지만 조금은 달라. 오늘날 우리 젊은 친구들을 보면 자존감이 많이 부족한 것 같아서 일견 안타까운 심정이야.

어떻게 하면 자존감을 높일 수 있을까. 우선은 내가 나 자신을 인정하는 것이 중요해. 그러기 위해서는 나 자신에 대해 보다 정확하고 오해 없는 이해가 있어야 해. 말하자면 자신과의 소통이 먼저란 것이지. 그런 다음 자신과 화해하고 자신에게 기회를 주어야 해.

이 사람은 실내에 갇혀 있는 사람이야. 그럴 테지. 비 오는 날이고 또 밤의 시간이니까 그럴 거야. 때로 이 사람은 외출이란 이름의 탈출을 시도해. 그렇지만 탈출도 여의치 않아 좌절하고 말아. 그래. 좌절이야, 좌절. 어쩌면 좋아, 이 사람. 이 사람은 한때의 나의 초상이고 오늘날 많은 젊은 세대의 초상이야. 나 비록 많이 나이 든 사람이지만 이 사람이 안쓰러워.

어쩌면 좋아? 그래, 나는 이 사람에게 화사(華奢)와 밝음을 선물하고 싶어. 어둠이 있으면 밝음이 있고 우울이 있으면 명랑이 있는 법. 어둠 속에 있는 사람이 바라는 것은 밝음이야. 밝고도 환한 세상이야. 그래서 나는 마음이 어둡고 우울할수록 더욱 밝고 환한 세상을 꿈꾸며 살아야 한다고 말해. 그것이 우리가 끝내 살아남는 길이야.

이 노래에도 반복되는 구절이 있네. 그 부분이 바로 키워드가 들어간 문장일 거야. “비가 오는 짙은 색 서울 그 위에/ 여전히 잠 못 이루는 내가 흐려지네/ 저 비가 그쳐 고인 물 위에 비쳐진/ 오늘따라 더 초라한 내가 그려지네.” 그 부분에 노래의 주인공이 서성이고 있어. 예원아, 너에게도 화사와 밝음을 선물하고 싶어.

Intro : 화양연화

오늘따라 림이 멀어 보여
코트 위에 한숨이 고여
현실이 두려운 소년
공을 던질 때면 유일하게 맘이 되려 놓여
홀로 던지는 공
림을 향해서 내가 던지는 건
수많은 고민과 삶의 걱정거리
세상을 아는 척하지만 아직 설익은 몸
슛 코트가 나의 놀이터
손짓에 따라서 발 옆엔 작은 공이 튀어
성적은 바닥을 기지만 난 더 오히려
세상에 다 잘될 거라며 괜시리 소리쳐
하지만 세상은 되려 겁줘 그럴 거면 멈춰
머리를 채운 상념 공 대신 미래를 던져
또 남들이 칠하는 별점과 성공의 기준에 결격
덕에 암처럼 퍼지는 걱정 god damn it

던져버린 공과 함께 퍼진 웃음
턱까지 차오른 이 숨은 꿈틀대는 꿈들
빨라지는 드리블 행복해지는 마음
이 순간은 영원할 듯하지만 해 지는 밤이
다시 찾아오면 좀먹는 현실
정신을 차리면 또 겁먹은 병신
같은 내 모습에 자꾸만 또 겁이 나
덮쳐오는 현실감
남들은 앞서 달려가는데 왜 난 아직 여기 있나

숨을 쉬어 아니면 꿈을 꿔
지금 심장박동에 맞춰 다시 노를 저어
남들의 얄팍한 잣대에 갇혀 모른 척
하며 살다간 코트처럼 인생도 노을 져

What am I doin' with my life

이 순간은 언제든 다시 찾아오지 않아

다시 나에게 되물어봐 지금 행복한가

그 답은 이미 정해졌어 난 행복하다

꽃처럼 아름답던 날들

예원아, 너도 알다시피 화양연화(花樣年華), 이 말은 애당초 우리말이 아니고 중국 말이야. 영화 제목이기도 한 말. 글자 그대로의 뜻은 '꽃의 모습처럼 화려하고 아름답던 날들'이란 뜻이지. 사전 풀이는 '인생에서 가장 아름답고 행복한 시간'이야.

누구에게나 그런 시절이 있을 거야. 우리말로는 '좋은 시절' '호시절' '꽃시절'이지. 그런데 정작 사람들은 자기에게 좋은 시절이 왔음에도 그것을 깨닫지 못하고 그 시절을 보내버린다는 거야. 어리석음이지. 지나고 나서야 아, 그때가 나에게 좋은 시절이었구나, 후회하게 돼.

현명할 필요가 있어. 마음의 눈을 뜰 필요가 있어. 현명이란 지혜와 통하는 것. 지혜는 지식과는 무늬가 달라. 지식은 그냥 무엇에 대해서 아는 것을 말하지만 지혜는 아직 오지 않은 일들을 헤아려 아는 것을 말하지. 미래의 일, 마음의 일, 미해결의 일을 아는 힘을 말하지.

이 노래의 주인공은 더 어린 사람이네. 숏 코트에서 공을 던지며 놀이를 하는 소년. 공을 던질 때만 자신감을 되찾는 소년. 공부 성적은 바닥이고 주변의 눈길은 호의적이지 않은 소년. 하지만 소년은 용기를 잃지 않아. 계속해서 공을 던져. 그러면서 자신감을 되찾고 자신이 누군가를 알게 돼.

그러기 때문에 우리는 계속해서 무엇인가를 하려고 노력하고 애를 써야 해. 제자리에 머물러 있으면 안 되고 끝없이 노력을 해야만 해. 개울물 속에 헤엄치며 노는 물고기들을 좀 봐. 밖에서 볼 때는 물고기가 그 자리에 그냥 멈춰 있는 것 같지만 그렇지는 않아.

적어도 물고기가 그 자리에 멈춰 있으려면 위에서 떠내려오는 물의 세기만큼 물을 거슬러 헤엄치고 있어야만 해. 그건 우리네 인생도 마찬가지야. 끝없는 도전과 시도와 좌절. 그런 뒤에 오는 성취와 승리. 노래 속의 소년은 현명한 친구야. 물의 속도보다 더 세게 거슬러 올라야만 물고기가 개울을 거슬러 올라갈 수 있다는 걸 아는 친구지.

"숨을 쉬어 아니면 꿈을 꿔/ 지금 심장박동에 맞춰 다시 노를 저어/ 남들의 얄팍한 잣대에 갇혀 모른 척/ 하며 살다간 코트처럼 인생도 노을 져." 이런 소년이 우리 곁에 있는 한 우리는 너무 일찍 절망하거나 포기할 필요가 없다고 생각해.

이사

Ayo SUGA

3년 전 여기 첨 왔던 때 기억해?

왠지 형이랑 나랑 막 치고 박고 했던 때

벽지도 화장실도 베란다도 다 파란 집

그때 난 여기가 막 되게 넓은 집인 줄 알았지

But 내 야망이 너무 커졌어

그리 넓어 보이던 새 집도 이제는 너무 좁아졌어

17평 아홉 연습생 코찔찔이 시절

엊그제 같은데 그래 우리도 꽤 많이 컸어

좋은 건 언제나 다 남들의 몫이었고

불투명한 미래 걱정에 항상 목쉬었고

연말 시상식 선배 가수들 보며 목메었고

했던 꾸질한 기억 잊진 말고 딱 넣어두자고

우리의 냄새가 나 여기선

이 향기 잊지 말자 우리가 어디 있건

울기도 웃기도 많이 했지만 모두 꽤나 아름다웠어

논현동 3층, 고마웠어

이사 가자
정들었던 이곳과는 안녕
이사 가자
이제는 더 높은 곳으로

텅 빈 방에서 마지막 짐을 들고 나가려다가
잠시 돌아본다
울고 웃던 시간들아
이젠 안녕

3년의 삶 참 짧고도 길었지
많은 일들이 있고 많은 추억의 기억이
막 떠오르곤 해, 떠날 때가 되니까
사용의 흔적들 like 통장 내역 크레딧카드

좁은 평수만큼 더 뭉친 점도 있었고

Fight right here 치고받기도 몇 번

그래서인지 고운 정 미운 정 쌓이고 쌓였어

먼지마냥, 이젠 치워지겠지

처음보단 짐도 늘고,

처음보단 내 스스로 가진 것도 늘었어

이젠 자부심을 딱 들고

더 큰 세상 큰 꿈을 나 바라보겠어

새 출발, 새 시작

어떤 식으로 또 꾸밀지 기대되는 시간

짐 날라, 위치 잡아, 먼지 닦아

끝나고서는 수고의 짜장면 하나 that's right

이사 가자

정들었던 이곳과는 안녕

이사 가자

이제는 더 높은 곳으로

텅 빈 방에서 마지막 짐을 들고 나가려다가
잠시 돌아본다
울고 웃던 시간들아
이젠 안녕

난생 처음 엄마의 뱃속에서
나의 첫 이사 날을 세곤 했어
희미한 기억 나의 이사의 대가는
엄마 심장의 기계와 광활한 흉터였어
2010년 그해 겨울 대구에서
철없던 내가 이 세상의 크기를 재곤 했어
상업적이란 집으로 이사 간 대가는
욕바가지 돈따라기라며 날 향한 손가락질
이처럼 이사는 내게 참 많은 걸 남겼지

그게 좋든 싫든 내 삶 속에서 많은 걸 바꿨지

내 삶은 월세 나도 매달려 알어?

내 자존심은 보증금 다 건 채 하루를 살아 uh?

그래서 다시 이사 가려고 해

아이돌에서 한 단계 위로 꿈이 잡히려 해

이번 이사의 손 없는 날은 언제일까

빠른 시일이면 좋겠다

이사 가자

정들었던 이곳과는 안녕

이사 가자

이제는 더 높은 곳으로

텅 빈 방에서 마지막 짐을 들고 나가려다가

잠시 돌아본다

울고 웃던 시간들아

이젠 안녕

이사 가자
정들었던 이곳과는 안녕
이사 가자
이제는 더 높은 곳으로

텅 빈 방에서 마지막 짐을 들고 나가려다가
잠시 돌아본다
울고 웃던 시간들아
이젠 안녕

노마드

제목은 '이사'지만 자기가 평생 옮겨 다니며 살았던 내력에 대해서 밝히고 있는 노래네. 말하자면 자서전 같은 시야. '이사'가 아니라 '이주'에 대한 고백이야. 멀리 엄마 뱃속에서부터의 이주(移住)야.

언뜻 인간은 한자리에 붙박이로 살고 있는 것 같지만 절대로 그렇지 않아. 끊임없이 움직이며 어딘가로 옮겨 다니며 살고 있어. 움직이는 것과 옮겨 다니는 것 자체가 생명의 본성이라 할 거야.

노마드(nomade)란 말은 본래 철학 용어로 '특정한 가치와 삶의 방식에 얽매이지 않고 끊임없이 자기 자신을 바꾸어 나가며 창조적으로 사는 인간형'을 가리키는 말인데, 상식적으로 사용되기는 그냥 '유목' '유목민' 정도일 것 같아.

'유목(遊牧)'이란 말은 또 '일정한 거처를 정하지 아니하고 물과 풀밭을 찾아 옮겨 다니면서 목축을 하며 사는 삶'을 가리키지. 사막이나 초원과 같이 자연환경이 척박하고 모진 지역에 사는 사람들의 삶을 의미할 거야.

그런데 현대사회로 오면서 모든 인류가 유목민처럼 산다는 생각이 확대된 것 같아. 나 같은 사람만 해도 날마다 이곳저곳 떠돌며 수없이 많은 사람, 새로운 사람을 만나고 살기 때문에 유목민의 삶이라 할 수 있겠어.

오늘날 우리들 삶도 유목민의 삶, 노마드야. 특히 도시에 사는 사람들의 삶이 그렇지. 한군데 정처가 없고 여기저기 떠돌며 사는 삶. 때로는 부초(浮草)처럼 흐르는 삶. 우리말에 동가식서가숙(東家食西家宿)이란 말이 있는데 그 말이 또 그 말이지.

노래의 주인공은 지금 이사를 준비하면서, 여태까지 머물러 살던 장소와 시간들과 이별하며 추억에 잠겨 있어. '3년' 동안 살았던 집, '논현동 3층' '17평 아홉 연습생 코찔찔이'들의 공간이 구체적인 장소이지. "이사 가자/ 정들었던 이곳과는 안녕/ 이사 가자/ 이제는 더 높은 곳으로." 주인공은 힘든 가운데서도 희망을 노래하고 있어.

모르면 몰라도 밝고 신나는 노래일 거야. 진취적인 리듬이 콩닥거리는 노래일 거야. 어차피 인생은 떠돌며 사는 것. 이제껏 정답게 어울려 살던 것들과도 헤어지면서 사는 것. 섭섭함이야 있고 눈물겨움도 있겠지.

의외로 노랫말이 성숙한 사람의 마음을 닮아 있네. 어차피 불가능한 것, 버릴 것이 있다면 과감히 버리면서 살겠다는 젊은이의 현명함과 유쾌함이 담겨 있네. 좋아, 좋아, 저절로 고개가 끄덕여져. 두루 고마운 일이지.

역시 중요 문장, 키 센텐스는 뒷부분에 있어. 한번 옮겨볼까 해. "텅 빈 방에서 마지막 짐을 들고 나가려다가/ 잠시 돌아본다/ 울고 웃던 시간들아/ 이젠 안녕."

Butterfly

아무것도 생각하지 마
넌 아무 말도 꺼내지도 마
그냥 내게 웃어줘

난 아직도 믿기지가 않아
이 모든 게 다 꿈인 것 같아
사라지려 하지 마

Is it true? Is it true?
You you
너무 아름다워 두려워
Untrue untrue
You you you

곁에 머물러줄래
내게 약속해줄래

손대면 날아갈까 부서질까

겁나 겁나 겁나

시간을 멈출래

이 순간이 지나면

없었던 일이 될까

널 잃을까

겁나 겁나 겁나

Butterfly, like a butterfly

마치 Butterfly, bu butterfly처럼

Butterfly, like a butterfly

마치 Butterfly, bu butterfly처럼

넌 마치 Butterfly

멀리서 훔쳐봐

손 닿으면 널 잃을까

이 칠흑 같은

어둠 속 날 밝히는 나비효과

니 작은 손짓 한 번에

현실을 잊어 난

살며시 쓰다듬는 바람 같아

살포시 표류하는 먼지 같아

넌 거기 있지만 왠지 닿지 않아

Stop

꿈같은 넌 내게 butterfly, high

Untrue untrue

You you you

곁에 머물러줄래

내게 약속해줄래
손대면 날아갈까 부서질까
겁나 겁나 겁나

시간을 멈출래
이 순간이 지나면
없었던 일이 될까
널 잃을까
겁나 겁나 겁나

심장은 메마른 소리를 내
꿈인지 현실인지 알 수 없네
나의 해변의 카프카여
저기 숲으로 가진 말아줘
내 마음은 아직 너 위에 부서져
조각조각 까맣게 녹아 흘러

(난 그냥 이대로 증발하고 싶어)

내 사랑은 영원인 걸

It's all FREE for you

Baby

곁에 머물러줄래

내게 약속해줄래

손대면 날아갈까 부서질까

겁나 겁나 겁나

시간을 멈출래

이 순간이 지나면

없었던 일이 될까

널 잃을까

겁나 겁나 겁나

Butterfly, like a butterfly

마치 Butterfly, bu butterfly처럼

Butterfly, like a butterfly

마치 Butterfly, bu butterfly처럼

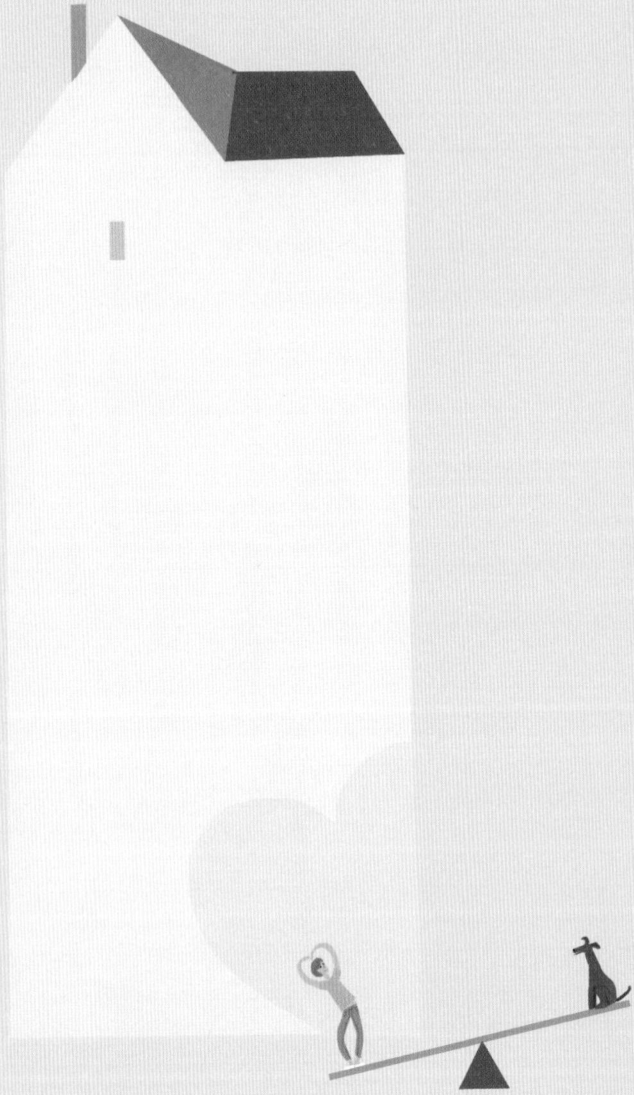

사랑은 떨리는 마음

사람의 마음 가운데 가장 귀하고 아름다운 마음은 어떤 마음일까? 그것은 사랑의 마음일 거야. 사랑의 마음이란 어떤 대상을 적극적으로 생각하는 마음이고, 이쪽보다는 저쪽을 생각하고 위하는 마음이지.

나는 시인에게 시를 쓰게 하는 마음 가운데 가장 귀한 마음이 호기심과 그리움과 사랑, 그리고 열정이라고 말하지. 그러니까 사랑하는 마음이야말로 시의 원동력이라 할 수 있을 거야.

독일의 철학자 칸트는 행복의 세 가지 조건을 일(과업)과 사랑과 희망이라고 말했으니까, 행복의 조건으로도 사랑이란 감정이 대단한 비중을 차지하고 있는 건 사실이야.

그러면 사랑의 마음은 구체적으로 어떤 마음일까? 우선은 저쪽을 원하는 마음일 거야. 사물이든 인간이든 저쪽과 친하게 지내고 싶고, 저쪽과 함께 있고 싶고, 저쪽이 소유하고 있는 그 무엇을 공유하고 싶은, 그런 마음의 뒤범벅이 사랑일 거야.

그런데 항용 그 마음과 그 소망이(어쩌면 욕망이) 잘 이루어지지 않는 데에 문제가 생기지. 안타까움이고 슬픔이고 섭섭함이야. 끝내 좌절이나 절망으로 남기도 하지.

도대체가 안절부절 불안한 마음이야. 하늘 위에 붕, 뜬 것 같은 마음이기도 하지. 내가 아닌 것 같은 마음이기도 하지. 사랑은 미혹(迷惑). 사랑은 안절부절. 사랑은 천 개의 변용(變容).

BTS, 우리의 젊은이들이 부른 사랑의 노래 속 대상은 나비야. 버터플라이. 나비 같은 마음. 나비처럼 가볍지만 자취 없이 나부끼고 흔들리고 정체 없는 마음. 자칫 사라질 것 같은 마음.

그래서 소년들은 입을 모아 호소해. "곁에 머물러줄래/ 내게 약속해줄래/ 손대면 날아갈까 부서질까/ 겁나 겁나 겁나." 사랑의 마음은 이렇게 내가 원하는 대상, 내가 사랑하는 사람이 내 앞에서 사라질까봐 걱정하고 근심하는 마음이기도 할 거야.

“시간을 멈출래/ 이 순간이 지나면/ 없었던 일이 될까/ 널 잃을까/ 겁나 겁나 겁나.” 이렇게 겁내는 마음이 또 사랑의 마음일 거야. 마치 하늘 허공으로 제멋대로 날아다니는 나비를 좇는 마음처럼 말이야.

Whalien 52

이 넓은 바다 그 한가운데
한 마리 고래가 나즈막이 외롭게 말을 해
아무리 소리쳐도 닿지 않는 게
사무치게 외로워 조용히 입 다무네
아무렴 어때 뭐가 됐던 이젠 뭐 I don't care
외로움이란 녀석만 내 곁에서 머물 때
온전히 혼자가 돼 외로이 채우는 자물쇠
누군 말해 새끼 연예인 다 됐네
Oh fuck that, 그래 뭐 어때 누군가 곁에
머물 수 없다 한대도 그걸로 족해
날 향해 쉽게 얘기하는 이 말은 곧 벽이 돼
외로움조차 니들 눈엔 척이 돼

그 벽에 갇혀서
내 숨이 막혀도
저 수면 위를 향해

Hey oh, oh hey oh yeah

Lonely lonely lonely whale
이렇게 혼자 노래 불러
외딴섬 같은 나도
밝게 빛날 수 있을까

Lonely lonely lonely whale
이렇게 또 한 번 불러봐
대답 없는 이 노래가
내일에 닿을 때까지

No more, no more baby
No more, no more
끝없는 무전 하나
언젠가 닿을 거야

저기 지구 반대편까지 다

No more, no more baby
No more, no more
눈먼 고래들조차
날 볼 수 있을 거야
오늘도 다시 노래하지 나

세상은 절대로 몰라
내가 얼마나 슬픈지를
내 아픔은 섞일 수 없는
물과 기름
그저 난 수면 위에서만
숨을 쉴 때 관심 끝
외로운 바닷속 꼬마
나도 알리고 싶네

내 가치를 everyday
걱정의 멀미를 해
늘 스티커는 귀밑에
Never end,
왜 끝은 없고 매번 hell
시간이 가도
차가운 심연 속의 neverland
But 늘 생각해
지금 새우잠 자더라도 꿈은 고래답게
다가올 큰 칭찬이
매일 춤을 추게 할 거야
나답게 Ye I'm swimmin'

내 미래를 향해 가
저 푸른 바다와
내 헤르츠를 믿어

Hey oh, oh hey oh yeah

Lonely lonely lonely whale
이렇게 혼자 노래 불러
외딴섬 같은 나도
밝게 빛날 수 있을까

Lonely lonely lonely whale
이렇게 또 한 번 불러봐
대답 없는 이 노래가
내일에 닿을 때까지

어머니는 바다가 푸르다 하셨어
멀리 힘껏 니 목소릴 내라 하셨어
그런데 어떡하죠
여긴 너무 깜깜하고

온통 다른 말을 하는
다른 고래들뿐인데
I juss can't hold it ma
사랑한다 말하고 싶어
혼자 하는 돌림노래,
같은 악보 위를 되짚어
이 바다는 너무 깊어
그래도 난 다행인 걸
(눈물 나도 아무도 모를 테니)
I'm a whalien

Lonely lonely lonely whale
이렇게 혼자 노래 불러
외딴섬 같은 나도
밝게 빛날 수 있을까

Lonely lonely lonely whale
이렇게 또 한 번 불러봐
대답 없는 이 노래가
내일에 닿을 때까지

No more, no more baby
No more, no more
끝없는 무전 하나 언젠가 닿을 거야
저기 지구 반대편까지 다

No more, no more baby
No more, no more
눈먼 고래들조차 날 볼 수 있을 거야
오늘도 다시 노래하지 나

독백처럼

와, 이건 자기들 얘기네. 독백이야. 혼자서 하는 중얼거림. 하기는 모든 시나 노래, 그림 같은 예술 작품은 자기 자신의 한계를 넘지 못하지. 그러니까 그것 자체가 인생이고 그 사람이고 또 하나의 자전(自傳)인 것이지.

어떠니? 예원이 네가 보기에는 어떠니? 너무나도 평범하고 소소하고 우리들 주변 이야기 그대로라서 오히려 이상하도록 신기하지 않니? 바로 이걸 거야. 평범성. 보편성. 오늘의 예술 작품이 추구하는 것, 바로 그것.

'나'의 이야기이면서 보다 많은 '너'들의 이야기. 그러니까 특수성과 보편성의 충분한 보장 말이야. 이 대목에서 떠오르는 말은 괴테의 말이야. "민족적인 것이 세계적인 것이다." 그렇다면 우리는 이 말을 이렇게 바꿔. "한국적인 것이 세계적인 것이다."

이제는 정말 그럴 때가 되었다고 생각해. 무엇보다도 예술이 그래. 한국의 젊은이들이 부르는 노래가 그렇고, 그들이 추는 춤이 그래. 어느 시대든 젊은 세대는 소망이고 미래를 위한 무한한 자산이지.

이 청년들의 좌절과 한숨과 고독을 들어봐. 노래 제목으로 나오는 단어, 웨일리언(whalien). 나로서는 도무지 알 수 없는 단어였지. 겨우 네가 알려주어서 그 뜻을 알았지 뭐냐. '웨일리언—고래(whale)와 외계인(alien)의 합성어'라고? '다른 고래들과 다른 주파수로 대화하는 고래를 주제로 한 노래'라고? '다른 고래와 당연히 대화가 불가능하지만 홀로 계속 노래한다'고?

그러니 고독할 수밖에 없지. 막막할 수밖에 없지. 고래는 고래지만 외계에서 온 고래인데 어찌 다른 고래들이 그 말을 알아듣겠어. 그렇지만 이 외계 고래는 절망하지 않아. 포기하지 않아.

웨일리언, 바로 BTS 그 자신들. 수신자 없는 노래를 부르는 외계 고래들. 누구도 알아주지 않는 노래를 불러. 언젠가는 자신들의 노래를 들어줄 사람이 있기를 꿈꾸는 일군(一群)의 젊은이들. 불굴의 용기를 만나게 돼. 아니, 우리도 용기를 얻게 돼. 노래의 힘이야. 예술의 힘이고 젊은이들의 힘이야.

노래의 끝부분이 역시 절창이야. "Lonely lonely lonely whale/ 이렇게 혼자 노래 불러/ 외딴섬 같은 나도/ 밝게 빛날 수 있을까// Lonely lonely lonely whale/ 이렇게 또 한번 불러봐/ 대답 없는 이 노래가/ 내일에 닿을 때까지// No more, no more baby/ No more, no more/ 끝없는 무전 하나 언젠가 닿을 거야/ 저기 지구 반대편까지 다."

고엽

떨어져 날리는 저기 낙엽처럼
힘없이 쓰러져만 가 내 사랑이
니 맘이 멀어져만 가 널 잡을 수 없어
더 더 더 잡을 수 없어 난
더 붙들 수 없어 yeah

저기 저 위태로워 보이는 낙엽은 우리를 보는 것 같아서
손이 닿으면 단숨에라도 바스라질 것만 같아서
그저 바라만 봤지 가을의 바람과 같이
어느새 차가워진 말투와 표정
관계는 시들어만 가는 게 보여
가을 하늘처럼 공허한 사이
예전과는 다른 모호한 차이
오늘따라 훨씬 더 조용한 밤
가지 위에 달린 낙엽 한 장
부서지네 끝이란 게 보여, 말라가는 고엽

초연해진 마음속의 고요
제발 떨어지지 말아주오
떨어지지 말아줘 바스라지는 고엽

내 눈을 마주치는 너를 원해
다시 나를 원하는 널 원해
제발 떨어지지 말어
스러지려 하지 말어
Never, never fall
멀리 멀리 가지 마

Baby you girl 놓지 못하겠는걸
Baby you girl 포기 못하겠는걸
떨어지는 낙엽들처럼
이 사랑이 낙엽들처럼
Never, never fall

시들어가고 있어

모든 낙엽은 떨어지듯이
영원할 듯하던 모든 건 멀어지듯이
너는 나의 다섯 번째 계절
널 보려 해도 볼 수 없잖아
봐 넌 아직 내겐 푸른색이야
마음은 걷지 않아도 저절로 걸어지네
미련이 빨래처럼 조각조각 널어지네
붉은 추억들만 더러운 내 위에 덜어지네
내 가지를 떨지 않아도 자꾸만 떨어지네
그래 내 사랑은 오르기 위해 떨어지네
가까이 있어도 나의 두 눈은 멀어지네 벌어지네
이렇게 버려지네
추억 속에서 난 또 어려지네

Never, never fall yeah

Never, never fall yeah

내 눈을 마주치는 너를 원해

다시 나를 원하는 널 원해

제발 떨어지지 말어

스러지려 하지 말어

Never, never fall

멀리 멀리 가지 마

왜 난 아직도 너를 포기 못 해 난

시들어진 추억을 붙잡고

욕심인 걸까? 지는 계절을 되돌리려 해

돌리려 해

타올라 붉게 활활

다 아름다웠지 우리의 길 위엔
근데 시들어버리고
낙엽은 눈물처럼 내리고
바람이 불고 다 멀어지네 all day
비가 쏟아지고 부서지네
마지막 잎새까지 넌 넌 넌

내 눈을 마주치는 너를 원해
다시 나를 원하는 널 원해
제발 떨어지지 말어
스러지려 하지 말어
Never, never fall
멀리 멀리 가지 마

Baby you girl 놓지 못하겠는걸
Baby you girl 포기 못하겠는걸

떨어지는 낙엽들처럼

이 사랑이 낙엽들처럼

Never, never fall

시들어가고 있어

Never, never fall

Never, never fall

눈물겨운 아름다움

참 이상한 일이네. 왜 이토록 슬픈 이야기이고 안쓰러운 하소연이고 안타까운 마음인데, 한편으로는 아름답다는 생각이 들까? 눈물이 글썽여지지만 왜 끝까지 슬프기만 한 것이 아니라 기쁘기도 한 거지?

바로 그건 감동 때문일 거야. 인간의 눈물이란 게 참 특별해. 언뜻 눈물은 슬픔과 고통의 결과라고 말하지만, 한편으로는 기쁨의 흔적이기도 하고 특히 감동의 선물이기도 하지.

'고엽(枯葉)'이라고 하면 나같이 나이 든 사람에겐 어디까지나 프랑스 가수 이브 몽땅이 부른 「고엽(Autumn leaves)」이야. 시인 자크 프레베르의 시에 작곡가 조제프 코스마가 곡을 붙인 노래라고 그러지.

하지만 우리 BTS의 「고엽」은 전혀 다르네. 결국은 사랑에 대한 노래야. 자연과 인간을 함께 보았어. 그러니까 의인화이고 또 그것은 반대로 반의인화(反擬人化)이기도 하지. 자연을 인간에게 빗대고 인간을 또 자연에 빗대기도 했지.

이깃은 또 이심전심(以心傳心)이고 감정이입(感情移入)이기도 해. 나뭇가지에서 시들어 떨어지는 나뭇잎은 나에게서 멀어지려고 하는 애인이기도 하지. 떨어지는 나뭇잎과 애인의 동일성, 거기서 아픔이 나오고 눈물이 번져.

"Never, never fall/ Never, never fall." 저 애타는 젊은 영혼의 하소연을 들어봐. "제발 떨어지지 마." 그 말의 반복은 멀어지는 사람, 사라지는 마음을 붙잡고 싶어 하는 화자의 애타는 호소이고 사랑이고 또 미련이기도 하지.

이 노래는 핵심적인 구절이 의외로 맨 앞쪽에 있네. "떨어져 날리는 저기 낙엽처럼/ 힘없이 쓰러져만 가 내 사랑이/ 니 맘이 멀어져만 가 널 잡을 수 없어/ 더 더 더 잡을 수 없어 난/ 더 붙들 수 없어 yeah."

이런 대목도 참 마음이 아파. "마음은 걷지 않아도 저절로 걸어지네/ 미련이 빨래처럼 조각조각 널어지네/ 붉은 추억들만 더러운 내 위에 덜어지네/ 내 가지를 떨지 않아도 자꾸만 떨어지네/ 그래 내 사랑은 오르기 위해 떨어지네/

가까이 있어도 나의 두 눈은 멀어지네 벌어지네/ 이렇게 버려지네/ 추억 속에서 난 또 어려지네."

그렇지만 끝까지 눈물겹고 마음이 아픈 것만은 아냐. 한편으로는 기쁜 마음이 솟기도 해. 사무치도록 눈물겨운 아름다움이 주는 다시 한번의 선물이지.

Save ME

난 숨 쉬고 싶어 이 밤이 싫어
이젠 깨고 싶어 꿈속이 싫어
내 안에 갇혀서 난 죽어 있어
Don't wanna be lonely
Just wanna be yours

왜 이리 깜깜한 건지 니가 없는 이곳은
위험하잖아 망가진 내 모습
구해줘 날 나도 날 잡을 수 없어

내 심장 소릴 들어봐
제멋대로 널 부르잖아
이 까만 어둠 속에서
너는 이렇게 빛나니까

그 손을 내밀어줘 save me save me

I need your love before I fall, fall
그 손을 내밀어줘 save me save me
I need your love before I fall, fall

그 손을 내밀어줘 save me save me
그 손을 내밀어줘 save me save me

Save me, save me

오늘따라 달이 빛나 내 기억 속의 빈칸
날 삼켜버린 이 lunatic, please save me tonight
(Please save me tonight, please save me tonight)
이 치기 어린 광기 속 나를 구원해줄 이 밤

난 알았지 너란 구원이
내 삶의 일부며 아픔을 감싸줄 유일한 손길

The best of me 난 너밖에 없지
나 다시 웃을 수 있도록 더 높여줘 니 목소릴
Play on

내 심장소릴 들어봐
제멋대로 널 부르잖아
이 까만 어둠 속에서
너는 이렇게 빛나니까

그 손을 내밀어줘 save me save me
I need your love before I fall, fall
그 손을 내밀어줘 save me save me
I need your love before I fall, fall

그 손을 내밀어줘 save me save me
그 손을 내밀어줘 save me save me

고마워 내가 나이게 해줘서

이 내가 날게 해줘서

이런 내게 날갤 줘서

꼬깃하던 날 개줘서

답답하던 날 깨줘서

꿈속에만 살던 날 깨워줘서

널 생각하면 날 개어서

슬픔 따윈 나 개 줬어

(Thank you 우리가 돼 줘서)

그 손을 내밀어줘 save me save me

I need your love before I fall, fall

그 손을 내밀어줘 save me save me

I need your love before I fall, fall

치명적인 사랑

결국, 이 노래는 사랑의 갈구에 대한 것이고 사랑의 승리에 대한 것이야. 매우 치열해. 난 처음 어려운 현실에 처한 사람이 자기를 구해달라고 애원하는 노래인 줄 알았지. 그런데 읽어보니 사랑의 호소야. 젊은 시절 누군가의 사랑을 원하는 마음은 이렇게 치열해.

오직 그것이 아니면 안 될 것 같고, 오직 그 사람이 아니면 해결이 안 될 것처럼 열렬하지. 그런 사랑은 실상 치명적인 사랑이야. 나도 젊은 시절엔 그런 사랑을 몇 차례 경험해본 적이 있어. 매우 불안하지만 뜨거운 사랑이야.

누군가를 사랑하고 그를 원하는 마음은 좋은 마음이 분명한데, 때로는 사람을 힘들게도 해. 자기 자신을 힘들게 하고 상대방을 힘들게 해. 어찌할까? 어찌하면 좋을까? 그가 아니면 안 될 것 같은 이 마술 같은 사랑의 강물. 폭포 아니면 낭떠러지 같은 것.

"난 숨 쉬고 싶어 이 밤이 싫어/ 이젠 깨고 싶어 꿈속이 싫어/ 내 안에 갇혀서 난 죽어 있어." 봐, 숨도 쉴 수 없을

만큼 각박한 사랑이야. 자기 안에 갇혀서 자기가 죽어가는 사랑이야. 몽롱한 꿈속을 헤매는 사랑이야.

예원아, 너도 이런 사랑을 겪어본 일이 있니? 아직 어려서 그런 사랑을 경험하지 못했다고? 부디 그런 사랑이 네 앞에 와도 바로 그것에 매몰되지 않고 그곳에서 헤어나오는 현명함이 너에게 있기를 바란다.

"그 손을 내밀어줘 save me save me/ I need your love before I fall, fall." 그 손을 내밀어줘. 나를 구원해줘. 좀 구해줘. 떨어지기 전에 난 네 사랑이 필요해. 여기서 '떨어지기 전에'란 상대방과 거리가 생기기 전이라기보다는 내가 '절망의 구렁텅이에 떨어지기 전에'로 읽혀.

하지만 이 사람은 그러한 갈구와 절망 속에서 끝내 승리를 얻어. 그래서 자유의 몸이 되고 비상하는 존재가 되지. 이거야말로 사랑의 승리야. "고마워 내가 나이게 해줘서/ 이 내가 날게 해줘서/ 이런 내게 날갤 줘서/ 꼬깃하던 날 개줘서/ 답답하던 날 깨줘서/ 꿈속에만 살던 날 깨워줘서/ 널 생각하면 날 개어서/ 슬픔 따윈 나 개 줬어/ (Thank you 우리가 돼 줘서)."

BTS, 그들의 노래는 이렇게 우리에게 위기를 체험하게 하고, 그 위기로부터 탈출하고 해방되는 기쁨을 함께 선사해. 서정 속의 서사 구조가 있는 것이지. 대단해. 현란해. 아름다워. 젊은이들이 열광하는 걸 나도 짐작할 수 있겠어.

EPILOGUE : Young Forever

막이 내리고 나는 숨이 차
복잡해진 마음 숨을 내쉰다
오늘 뭐 실수는 없었었나
관객들의 표정은 어땠던가
그래도 행복해 난 이런 내가 돼서
누군가 소리 지르게 만들 수가 있어서
채 가시지 않은 여운들을 품에 안고
아직도 더운 텅 빈 무대에 섰을 때

더운 텅 빈 무대에 섰을 때
괜한 공허함에 난 겁을 내
복잡한 감정 속에서
삶의 사선 위에서
괜시리 난 더 무딘 척을 해
처음도 아닌데 익숙해질 법한데
숨기려 해도 그게 안 돼

텅 빈 무대가 식어갈 때쯤
빈 객석을 뒤로 하네

지금 날 위로하네
완벽한 세상은 없다고 자신에게 말해 난
점점 날 비워가네
언제까지 내 것일 순 없어 큰 박수갈채가
이런 내게 말을 해 뻔뻔히
니 목소릴 높여 더 멀리
영원한 관객은 없대도 난 노래할 거야
오늘의 나로 영원하고파
영원히 소년이고 싶어 나 aah

Forever we are young
나리는 꽃잎 비 사이로
헤매어 달리네 이 미로

Forever we are young

넘어져 다치고 아파도

끝없이 달리네 꿈을 향해

Forever ever ever ever

(꿈, 희망, 전진, 전진)

Forever ever ever ever

We are young

Forever ever ever ever

(꿈, 희망, 전진, 전진)

Forever ever ever ever

We are young

Forever we are young

나리는 꽃잎 비 사이로

헤매어 달리네 이 미로

Forever we are young

넘어져 다치고 아파도

끝없이 달리네 꿈을 향해

Forever we are young

나리는 꽃잎 비 사이로

헤매어 달리네 이 미로

Forever we are young

넘어져 다치고 아파도

끝없이 달리네 꿈을 향해

공연 끝낸 자리

무언가 크고 중요한 일을 마치고 나면 그 뒤가 많이 허전하고 섭섭하지. 공허함 같은 것. 마치 공기가 꽉 찬 고무풍선의 바람이 빠져나가 쭈글쭈글해진 상태 같은 것. 잔치 끝낸 자리.

그런 때 사람들은 스스로를 견디기 힘들어해. 그런 때를 우리는 조심해야 해. 조금은 냉정함을 찾고 주변을 살펴보아야 해. 길이 끝나는 곳에서 새로운 길이 시작된다는 말이 있지.

이 노래의 주인공이 바로 그래. 공연을 마친 뒤의 허전함을 노래하고 있어. 아주 솔직 담백해. 나는 시를 말할 때도 간결과 솔직과 담백함을 말하는데, 이 노래의 주인공 마음이 바로 그래. 그래서 호소력이 있고 믿음이 가지.

아주 유명하고 유능한 친구들은 안 그럴 것 같아도, 그들도 여전히 보통 사람들처럼 가슴이 떨리고 행위 뒤에 후회가 남고 망설임이 있고 초조함이 따른다는 것! 그건 우리에게 많은 위로를 주지. 아, 저 사람들도 우리와 크게 다르지 않구나.

하지만 이 노래의 주인공은 많이 달라. 그 종착점에서 새로운 출발을 다짐하지. 보이지 않는 먼 미래의 소실점 위에 새로운 약속의 꽃다발을 얹어. 용기와 꿈과 사랑을 묶어 무지개를 띄우지. 자, 그럼 들어봐.

이 부분이 또 이 노래의 핵심 부분이기도 할 거야.

"Forever we are young/ 나리는 꽃잎 비 사이로/ 헤매어 달리네 이 미로// Forever we are young/ 넘어져 다치고 아파도/ 끝없이 달리네 꿈을 향해// Forever ever ever ever/ (꿈, 희망, 전진, 전진)// Forever ever ever ever/ We are young// Forever ever ever ever/ (꿈, 희망, 전진, 전진)."

이런 기백 있는 리듬과 고백과 호소 속에서 오늘날 이 땅의 많은 청춘들이 힘을 얻었으면 좋겠어. 그들 또한 꿈과 희망과 전진을 가졌으면 좋겠어. 저들이 우리와 다르지 않다는 생각의 수평 속에서 우리는 보다 많은 위로와 가능성을 발견할 수 있을 것이라고 봐.

"Forever we are young/ 나리는 꽃잎 비 사이로/ 헤매어 달리네 이 미로// Forever we are young/ 넘어져 다치고 아파도/ 끝없이 달리네 꿈을 향해// Forever we are young/ 나리는 꽃잎 비 사이로/ 헤매어 달리네 이 미로."

저 경쾌한 호흡 속에서 이제 '미로(迷路)'는 미로가 아닌 하이웨이(highway)가 돼. 그 길로 우리가 함께 가면 돼. 예원아, 숨 가쁘겠지만 그 길을 너도 따라가주기 바란다.

Reflection

I know

Every life's a movie

We got different stars and stories

We got different nights and mornings

Our scenarios ain't just boring

나는 이 영화가 너무 재밌어

매일매일 잘 찍고 싶어

난 날 쓰다듬어주고 싶어

날 쓰다듬어주고 싶어

근데 말야 가끔 나는 내가 너무너무 미워

사실 꽤나 자주 나는 내가 너무 미워

내가 너무 미울 때 난 뚝섬에 와

그냥 서 있어, 익숙한 어둠과

웃고 있는 사람들과 나를 웃게 하는 beer

슬며시 다가와서 나의 손을 잡는 fear

괜찮아 다 둘 셋이니까

나도 친구가 있음 좋잖아

세상은 절망의 또 다른 이름
나의 키는 지구의 또 다른 지름
나는 나의 모든 기쁨이자 시름
매일 반복돼 날 향한 좋고 싫음
저기 한강을 보는 친구야
우리 옷깃을 스치면 인연이 될까
아니 우리 전생에 스쳤을지 몰라
어쩜 수없이 부딪혔을지도 몰라
어둠 속에서 사람들은
낮보다 행복해 보이네
다들 자기가 있을 곳을 아는데
나만 하릴없이 걷네
그래도 여기 섞여 있는 게 더 편해
밤을 삼킨 뚝섬은 나에게

전혀 다른 세상을 건네
나는 자유롭고 싶다
자유에게서 자유롭고 싶다
지금은 행복한데 불행하니까
나는 나를 보네
뚝섬에서

I wish I could love myself
I wish I could love myself
I wish I could love myself
I wish I could love myself

I wish I could love myself
I wish I could love myself
I wish I could love myself
I wish I could love myself

영화 같은 인생

예원아, BTS 가사집, 의외로 재밌고 정서적 깊이가 있고 생각할 게 많더구나. 읽으면 읽을수록 읽고 싶은 노랫말이야. 아니, 노랫말 이전에 시야.

시라 해도 특별한 시야. 무겁고 심각한 주제를 담고 있지만 그 표현은 가볍고도 경쾌해. 이게 중요해. 가볍고 하찮은 주제를 무거운 표현에 담은 시라면 그건 이미 패착(敗着)이지. 실패한 거란 말이야.

그런 점에서 이들의 노래는 매우 새롭고 희망적이고 혁명적이기까지 해. 노래로 듣지 않고 문장으로 읽어도 매우 기분이 좋아. 사람 마음을 바꾸어놓아. 우리에게 용기와 꿈을 줘. 이것만으로도 글이 주는 크나큰 덕성(德性)이야.

가끔 우리는 우리 인생을 정면으로만 보지 말고 사선으로 빗금으로 바라볼 필요가 있어. 그러할 때 인생은 의외로 조그맣고 분명하고 사랑스럽기까지 하지. 인생은 하나의 연극이란 말. 주변에서 듣는 말이기도 하지.

의외로 인생은 심각하지 않아. 크게 겁낼 것도 아니야.

오히려 심각하게 생각할 때 인생은 더욱 심각해지고 겁을 먹을 때 인생은 더욱 겁나는 일이 될 거야. 인생은 연극이다. 그렇다면 연기하듯이 살아볼 필요도 있어.

그런데 이 노래의 주인공도 가끔은 자기 자신이 미울 때가 있다고 그래. 그래서 서울 한강에 있는 '뚝섬'에 간다고 그래. "그냥 서 있어, 익숙한 어둠과/ 웃고 있는 사람들과 나를 웃게 하는 beer/ 슬며시 다가와서 나의 손을 잡는 fear/ 괜찮아 다 둘 셋이니까/ 나도 친구가 있음 좋잖아." 그냥 오늘날 젊은 세대의 초상이야.

BTS 노랫말의 가장 중요한 특성은 후반부에 반전(反轉)이 오고 변용(變容)이 있다는 거야. 새로움이고 발견이고 문제 해결이지. 이건 정말 획기적인 일이야. 여기서 폭발적인 기쁨이 나와. 말하자면 엔도르핀이지. 노래가 우리에게 환희의 호르몬을 선사한다는 것!

좀 길기는 하지만 후반부를 다시 한번 읽어봐. "세상은 절망의 또 다른 이름/ 나의 키는 지구의 또 다른 지름/ 나는 나의 모든 기쁨이자 시름/ 매일 반복돼 날 향한 좋고 싫음/ 저기 한강을 보는 친구야/ 우리 옷깃을 스치면 인연이 될까/ 아니 우리 전생에 스쳤을지 몰라/ 어쩜 수없이 부딪혔을지도 몰라/ 어둠 속에서 사람들은/ 낮보다 행복해 보이네/ 다들 자기가 있을 곳을 아는데/ 나만 하릴없이 걷네/ 그래도 여기 섞여 있는 게 더 편해/ 밤을 삼킨 뚝섬은 나에게/ 전혀 다른 세상을 건네."

Lost

눈을 감고 아직 여기 서 있어
사막과 바다 가운데 길을 잃고서
여전히 헤매고 있어 어디로 가야 할지 yeah
이리도 많을 줄 몰랐어
가지 못한 길도 갈 수 없는 길도
I never felt this way before
어른이 되려는지

난 너무 어려운 걸 이 길이 맞는지
정말 너무 혼란스러
Never leave me alone
그래도 믿고 있어 믿기지 않지만
길을 잃는단 건
그 길을 찾는 방법

Lost my way

쉴 새 없이 몰아치는 거친 비바람 속에

Lost my way

출구라곤 없는 복잡한 세상 속에

Lost my way

Lost my way

수없이 헤매도 난 나의 길을 믿어볼래

Lost my way

Found my way

Lost my way

Found my way

어디로 가는 개미를 본 적 있어?

단 한 번에 길을 찾는 법이 없어

수없이 부딪히며 기어가는

먹일 찾기 위해 며칠이고 방황하는

(You know)

쓸모 있어 이 좌절도

난 믿어 우린 바로 가고 있어

언젠가 우리가 찾게 되면

분명 한 번에 집으로 와

개미처럼

아직은 어려운 걸 이 길이 맞는지

정말 너무 혼란스러

Don't you leave me alone

그래도 믿고 싶어 믿기지 않지만

길을 잃는단 건

그 길을 찾는 방법

Lost my way

쉴 새 없이 몰아치는 거친 비바람 속에

Lost my way

출구라곤 없는 복잡한 세상 속에

Lost my way

Lost my way

수없이 헤매도 난 나의 길을 믿어볼래

(So long) 기약 없는 희망이여 이젠 안녕

(So long) 좀 느려도 내 발로 걷겠어

이 길이 분명 나의 길이니까

돌아가도 언젠가 닿을 테니까

I never I will never

I will never lose my dream

Lost my way

쉴 새 없이 몰아치는 거친 비바람 속에

Lost my way

출구라곤 없는 복잡한 세상 속에

Lost my way

Lost my way

수없이 헤매도 난 나의 길을 믿어볼래

Lost my way

Found my way

Lost my way

Found my way

'가지 않은 길' 앞에서

얼마 전의 일이야. 〈미생(未生)〉이란 티브이 드라마가 있었다고 그래. 나는 비교적 드라마를 잘 보지 않는 사람이라 그 드라마를 보진 않았지만, 들리는 말로는 요즘 젊은 세대 이야기, 특히 '청년 실업과 비정규직 문제를 다룬 웹툰 원작의 드라마'라고 그래.

내용은 그렇지만 나는 그 말, '미생'이란 젊은 세대 사이에서 생긴 신조어가 마음이 아팠던 기억이 나. 미생, 미생, 입으로 외워보면 아름답게 느껴지기도 하지만 그 안에는 애달픔이 있다고 느꼈던 거야.

바로 BTS의 이 노래가 그래. 'Lost.' '잃어버린'이란 뜻의 형용사이지만 나에게는 '미생'으로 읽히고 또 '상실'로 읽혀. 그러나 가사 내용을 들여다보면 이 사람의 길은 처음부터 없었던 거야. 그러니까 'lost'가 아닌 게지.

자, 들어봐. "눈을 감고 아직 여기 서 있어/ 사막과 바다 가운데 길을 잃고서/ 여전히 헤매고 있어 어디로 가야 할지 yeah/ 이리도 많을 줄 몰랐어/ 가지 못한 길도 갈 수 없는 길도/ I never felt this way before/ 어른이 되려는지."

이건 잃은 게 아니야. 오히려 발견이고 새로운 출발에 대한 예감이고 축복이야. 그전에 약간의 혼란과 어지러움이 있었던 것이지. 미국 시인 로버트 프로스트의 「가지 않은 길」이란 시 있잖아. 바로 그거야.

그래, 이건 '가지 못한 길'이 아니라 아직 '가지 않은 길'이야. 그래서 노래의 소년은 길이 "이리도 많을 줄 몰랐"다고 말하고 "I never felt this way before" "한 번도 이런 기분을 느껴본 적 없어"라고 고백하는 거야. 그래, 그게 바로 어른이 되려는 징조야.

오히려 여기엔 축하가 있어야 하고 응원이 있어야 해. 조금만 더 가보라고. 조금만 더 찾아보라고. 조금만 더 참아보라고. 이미 소년은 그 방법을 스스로 알고 있어. "그래도 믿고 있어 믿기지 않지만/ 길을 잃는단 건/ 그 길을 찾는 방법."

보일 듯 보일 듯 보이지 않고 멈출 듯 멈출 듯 멈추지 않는 것이 인생일 거야. 하지만 여기서 절대 금물은 포기야. 지레짐작으로 속단하는 것도 마찬가지이고. 포기도 속단도 하지 말고 오히려 겸손하고 경건하게 밀고 가야만 하는 게 인생이 아닐까 싶어.

이 소년은 용기 있는 소년을 넘어서 지혜로운 소년이야. "출구라곤 없는 복잡한 세상 속에" 비록 길을 잃기는 했지만 "수없이 헤매도 난 나의 길을 믿어볼래". 아, 하는 탄성이 절로 나와. 다시금 왜 오늘의 젊은이들이 BTS의 노래를 좋아하는지 알게 돼.

저들의 노래를 통해 그들도 동일시(同一視)를 얻기 때문이지. 그래, 나도 할 수 있다. 그런 용기와 축복과 응원을 되받기 때문이지. "기약 없는 희망이여 이젠 안녕." "좀 느려도 내 발로 걷겠어." "이 길이 분명 나의 길이니까/ 돌아가도 언젠가 닿을 테니까." "나 절대 나는 절대/ 나는 절대 내 꿈을 잃지 않을 테야."

둘! 셋!(그래도 좋은 날이 더 많기를)

꽃길만 걷자
그런 말은 난 못 해
좋은 것만 보자
그런 말도 난 못 해
이제 좋은 일만 있을 거란 말
더는 아프지도 않을 거란 말
그런 말 난 못 해
그런 거짓말 못 해

너넨 아이돌이니까 안 들어도 구리겠네
너네 가사 맘에 안 들어 안 봐도 비디오네
너넨 힘없으니 구린 짓 분명히 했을 텐데
너네 하는 짓들 보니 조금 있음 망하겠네
(Thank you so much) 니들의 자격지심
덕분에 고딩 때도 못 한 증명 해냈으니
박수 짝짝 그래 계속 쭉 해라 쭉

우린 우리끼리 행복할게 good yeah I'm good

괜찮아 자 하나 둘 셋 하면 잊어
슬픈 기억 모두 지워 내 손을 잡고 웃어
괜찮아 자 하나 둘 셋 하면 잊어
슬픈 기억 모두 지워 서로 손을 잡고 웃어

그래도 좋은 날이 앞으로 많기를
내 말을 믿는다면 하나 둘 셋
믿는다면 하나 둘 셋
그래도 좋은 날이 훨씬 더 많기를
내 말을 믿는다면 하나 둘 셋
믿는다면 하나 둘 셋

하나 둘 셋
하면 모든 것이 바뀌길

더 좋은 날을 위해
우리가 함께이기에

무대 뒤 그림자 속의 나, 어둠 속의 나
아픔까지 다 보여주긴 싫었지만
나 아직 너무 서툴렀기에
웃게만 해주고 싶었는데
잘하고 싶었는데

(So thanks) 이런 날 믿어줘서
이 눈물과 상처들을 감당해줘서
(So thanks) 나의 빛이 돼줘서
화양연화의 그 꽃이 돼줘서

괜찮아 자 하나 둘 셋 하면 잊어
슬픈 기억 모두 지워 내 손을 잡고 웃어

괜찮아 자 하나 둘 셋 하면 잊어
슬픈 기억 모두 지워 서로 손을 잡고 웃어

그래도 좋은 날이 앞으로 많기를
내 말을 믿는다면 하나 둘 셋
믿는다면 하나 둘 셋
그래도 좋은 날이 훨씬 더 많기를
내 말을 믿는다면 하나 둘 셋
믿는다면 하나 둘 셋

믿는다면 하나 둘 셋
믿는다면 하나 둘 셋
믿는다면 하나 둘 셋
믿는다면 둘 셋 say!

괜찮아 자 하나 둘 셋 하면 잊어

슬픈 기억 모두 지워 내 손을 잡고 웃어
괜찮아 자 하나 둘 셋 하면 잊어
슬픈 기억 모두 지워 서로 손을 잡고 웃어

그래도 좋은 날이 앞으로 많기를
내 말을 믿는다면 하나 둘 셋
믿는다면 하나 둘 셋
그래도 좋은 날이 훨씬 더 많기를
내 말을 믿는다면 하나 둘 셋
믿는다면 하나 둘 셋

괜찮아 자 하나 둘 셋 하면 잊어
슬픈 기억 모두 지워 내 손을 잡고 웃어
괜찮아 자 하나 둘 셋 하면 잊어
슬픈 기억 모두 지워 서로 손을 잡고 웃어

노래의 매직

이 노래도 하나의 자화상이네. 자신들의 처지. 자신들의 모습. 자신들이 처한 상황. 처음엔 그래. 자기 성찰부터 나와. 자신들이 아이돌이라는 것. 남들의 입과 관심에 오르내리는 자신들의 모습을 조금은 비탄스럽게 그려내고 있어.

"너넨 아이돌이니까 안 들어도 구리겠네/ 너네 가사 맘에 안 들어 안 봐도 비디오네/ 너넨 힘없으니 구린 짓 분명히 했을 텐데/ 너네 하는 짓들 보니 조금 있음 망하겠네/ (Thank you so much) 니들의 자격지심/ 덕분에 고딩 때도 못한 증명 해냈으니/ 박수 짝짝 그래 계속 쭉 해라 쭉/ 우린 우리끼리 행복할 게 good yeah I'm good."

하지만 노래의 주인공들은 거기서 곧바로 터닝 포인트를 가져. 대중들은 하나, 둘, 셋이면 그 어떤 사실을 까맣게 잊고 다른 관심사로 떠난다는 것. 그래서 슬픈 기억은 잊고 서로 손을 잡고 웃자고. 그래야 한다고. 이것도 대단한 삶의 발견이고 현명함이지.

역시 이 노래도 우리에게 희망을 줘. 넘어진 땅에서 다시

일이설 수 있는 힘을 줘. 내일의 믿음을 줘. "더 좋은 날을 위해/ 우리 함께이기에" '하나 둘 셋' 하는 사이에 '모든 것이 바뀌길' 기다리고 바라는 마음은 우리에게도 위안과 희망을 선사해. 이거야말로 노래가 주는 마술, 매직이야.

지금 우리에게 진정으로 필요한 것은 우울이 아니라 명랑이고, 어둠이 아니라 밝음이고, 절망이 아니라 소망이고 끝끝내 사랑이야. 다른 사람의 허물이나 잘못을 조금쯤 가려주는 너그러움. 나의 요구보다는 다른 사람의 요구를 들어주는 너그러운 마음.

무엇보다도 요즘 젊은이들이 듣고 싶어 하는 말은 '괜찮아'라는 말이야. 틀려도 괜찮아. 서툴러도 괜찮아. 그만큼이라도 괜찮아. 이다음에라도 잘하면 괜찮아. 예원아, 이 시대의 시와 노래가 진정 우리에게 무엇을 주어야 하겠니? 독자든 청취자든 무엇을 원하겠니?

나는 응원과 축복과 기도와 동행이라고 생각해. 힘들어도 조금만 참아. 내가 옆에 있으니까. 길이 멀어도 너무 힘들어하지 마. 내가 끝까지 동행해줄 테니까. 그래서 우리는 우리 몫으로 돌아온 인생을 완성하고 성공으로 이끌어야 한다고 생각해.

그렇다면 방탄소년단이 우리에게 들려주는 위로의 메시지에 다시 한번 귀를 기울여봐. "그래도 좋은 날이 앞으로 많기를/ 내 말을 믿는다면 하나 둘 셋/ 믿는다면 하나 둘 셋/ 그래도 좋은 날이 훨씬 더 많기를/ 내 말을 믿는다면 하나 둘 셋/ 믿는다면 하나 둘 셋// 괜찮아 자 하나 둘 셋 하면 잊어/ 슬픈 기억 모두 지워 내 손을 잡고 웃어/ 괜찮아 자 하나 둘 셋 하면 잊어/ 슬픈 기억 모두 지워 서로 손을 잡고 웃어."

봄날

보고 싶다 이렇게 말하니까 더 보고 싶다
너희 사진을 보고 있어도 보고 싶다
너무 야속한 시간 나는 우리가 밉다
이젠 얼굴 한 번 보는 것조차 힘들어진 우리가
여긴 온통 겨울뿐이야
8월에도 겨울이 와
마음은 시간을 달려가네
홀로 남은 설국열차
니 손 잡고 지구 반대편까지 가
겨울을 끝내고파
그리움들이 얼마나 눈처럼 내려야
그 봄날이 올까 Friend

허공을 떠도는
작은 먼지처럼 작은 먼지처럼
날리는 눈이 나라면

조금 더 빨리 네게 닿을 수 있을 텐데

눈꽃이 떨어져요
또 조금씩 멀어져요
보고 싶다 (보고 싶다)
보고 싶다 (보고 싶다)
얼마나 기다려야
또 몇 밤을 더 새워야
널 보게 될까 (널 보게 될까)
만나게 될까 (만나게 될까)

추운 겨울 끝을 지나
다시 봄날이 올 때까지
꽃 피울 때까지
그곳에 좀 더 머물러줘
머물러줘

니가 변한 건지
아니면 내가 변한 건지
이 순간 흐르는 시간조차 미워
우리가 변한 거지 뭐
모두가 그런 거지 뭐
그래 밉다 니가 넌 떠났지만
단 하루도 너를
잊은 적이 없었지 난
솔직히 보고 싶은데
이만 너를 지울게
그게 널 원망하기보단
덜 아프니까

시린 널 불어내본다
연기처럼 하얀 연기처럼
말로는 지운다 해도

사실 난 아직 널 보내지 못하는데

눈꽃이 떨어져요
또 조금씩 멀어져요
보고 싶다 (보고 싶다)
보고 싶다 (보고 싶다)
얼마나 기다려야
또 몇 밤을 더 새워야
널 보게 될까 (널 보게 될까)
만나게 될까 (만나게 될까)

You know it all
You're my best friend
아침은 다시 올 거야
어떤 어둠도 어떤 계절도
영원할 순 없으니까

벚꽃이 피나봐요
이 겨울도 끝이 나요
보고 싶다 (보고 싶다)
보고 싶다 (보고 싶다)
조금만 기다리면
며칠 밤만 더 새우면
만나러 갈게 (만나러 갈게)
데리러 갈게 (데리러 갈게)

추운 겨울 끝을 지나
다시 봄날이 올 때까지
꽃 피울 때까지
그곳에 좀 더 머물러줘
머물러줘

저, 눈부신 애상

어쩌나! 노래가, 노랫말이, 이렇게 애상적이고, 이렇게 아름답고, 이렇게 가슴 저미도록 아파도 좋은 건지. 잠시 나는 어리둥절 눈을 감아봐. 예원아, 예원아, 이걸 어쩌면 좋으냐. 이런 나를 나는 어쩌면 좋으냐.

눈물이 흐르려고 한다. 가슴이 콱 막혀 온다. "그립다/ 말을 할까/ 하니 그리워// 그냥 갈까/ 그래도/ 다시 더 한번." 김소월 선생의 「가는 길」의 절창이 여기에 먼저 와 있네.

"보고 싶다 이렇게 말하니까 더 보고 싶다/ 너희 사진을 보고 있어도 보고 싶다." 이게 바로 사랑이 아닐까. 언젠가 알고 지내는 정신과 의사한테 이런 말을 들었어. "사랑은 사회적으로 용인될 수 있는 유일한 정신병이다."

그래, 사랑은 정신적인 혼란이고 집중이고 자기 학대에까지 이르는 지독한 이기심이기도 해. "너무 야속한 시간 나는 우리가 밉다/ 이젠 얼굴 한 번 보는 것조차 힘들어진 우리가/ 여긴 온통 겨울뿐이야/ 8월에도 겨울이 와."

헤어진 사람, 멀어진 사람이 있어. 예전엔 함께 정다웠지만, 지금은 곁에 없는 사람. 벌리 있는 시간이 밉고 그렇게 된 '우리'가 마냥 야속하기만 해. 그러기에 마음은 계절을 건너뛰어 8월의 여름인데 눈에 갇힌 설국열차 같아.

노래 속 소년의 마음의 손은 길어. 지구를 싸안고 지구 반대편으로 가 사랑하는 사람의 손을 잡고 싶어 해. 그래서 스스로 겨울을 끝내고 싶어 해. 그 상상이 아프지만 너무나도 눈부시고 아름다워. 마치 햇빛 비쳐 반짝이는 눈의 결정, 그 보석 같아.

노래의 가사는 갈수록 점입가경, 절정에 절창이야. 이렇게 아름다울 수 있고 이렇게 가슴 아플 수 있을까! 나 자신 반세기 이상 한글로 서정시를 써왔고 그런 가운데서도 사랑의 시를 주로 써온 사람으로서 하나의 반성이 있고 하나의 깨침이 있네.

8월의 겨울을 마음이 불러오듯이 설국열차 안의 봄 또한 마음이 불러오는 것. "눈꽃이 떨어져요/ 또 조금씩 멀어져요/ 보고 싶다(보고 싶다)/ 보고 싶다(보고 싶다)/ 얼마나 기다려야/ 또 몇 밤을 더 새워야/ 널 보게 될까(널 보게 될까)/ 만나게 될까(만나게 될까).” 이런 기도 끝에 봄은 드디어 오게 되어 있어.

애끓는 호소가 있었을 것이고 원망이 있었을 것이고 차라리 이름조차 얼굴조차 지워버리고 싶은 갈망이 있었을 거야. 하지만, 하지만 말야. 소년은 그러지 못해. “시린 널 불어내본다/ 연기처럼 하얀 연기처럼/ 말로는 지운다 해도/ 사실 난 아직 널 보내지 못하는데.”

그래서 마음에 다시금 봄이 찾아오는 거야. “눈꽃이 떨어져요/ 또 조금씩 멀어져요/ 보고 싶다(보고 싶다)/ 보고 싶다(보고 싶다)/ 얼마나 기다려야/ 또 몇 밤을 더 새워야/ 널 보게 될까(널 보게 될까)/ 만나게 될까(만나게 될까).” 이 너무도 빛나고 아름다운 애상을 두고 우리는 어찌해야만 할까. 이쯤 글을 마치는 일조차 쉽지가 않네.

Outro : Wings

Take me to the sky

어릴 적의 날 기억해
큰 걱정이 없었기에
이 작은 깃털이 날개가 될 것이고
그 날개로 날아보게 해줄 거란
믿음, 신념 가득 차 있었어
웃음소리와 함께

(새처럼)
가지 말라는 길을 가고
하지 말라는 일을 하고
원해선 안 될 걸 원하고
또 상처받고 상처받고
You can call me stupid
그럼 난 그냥 씩 하고 웃지

난 내가 하기 싫은 일로
성공하긴 싫어
난 날 밀어
Word

난 날 믿어 내 등이 아픈 건
날개가 돋기 위함인 걸
난 널 믿어 지금은 미약할지언정
끝은 창대한 비약인 걸
Fly, fly up in the sky
Fly, fly get'em up high
니가 택한 길이야 새꺄 쫄지 말어
이제 고작 첫 비행인 걸 uh

Take me to the sky
훨훨 날아갈 수 있다면

영영 달아날 수 있다면

If my wings could fly

점점 무거워지는 공기를 뚫고 날아

날아 난 날아 난 날아가

Higher than higher than

Higher than the sky

날아 나 날아 난 날아가

붉게 물든 날개를 힘껏

Spread spread spread my wings

Spread spread spread my wings

Wings are made to fly fly fly

Fly fly fly

If my wings could fly

이제 알겠어

후회하며 늙어가는 건 break up

나는 택했어

조건 없는 믿음을 가지겠어

It's time to be brave

I'm not afraid

날 믿기에

나 예전과는 다르기에

내가 가는 길에 울지 않고 고개 숙이지 않어

거긴 하늘일 테고 날고 있을 테니까 fly

Spread spread spread my wings

Spread spread spread my wings

Wings are made to fly fly fly

Fly fly fly

If my wings could fly

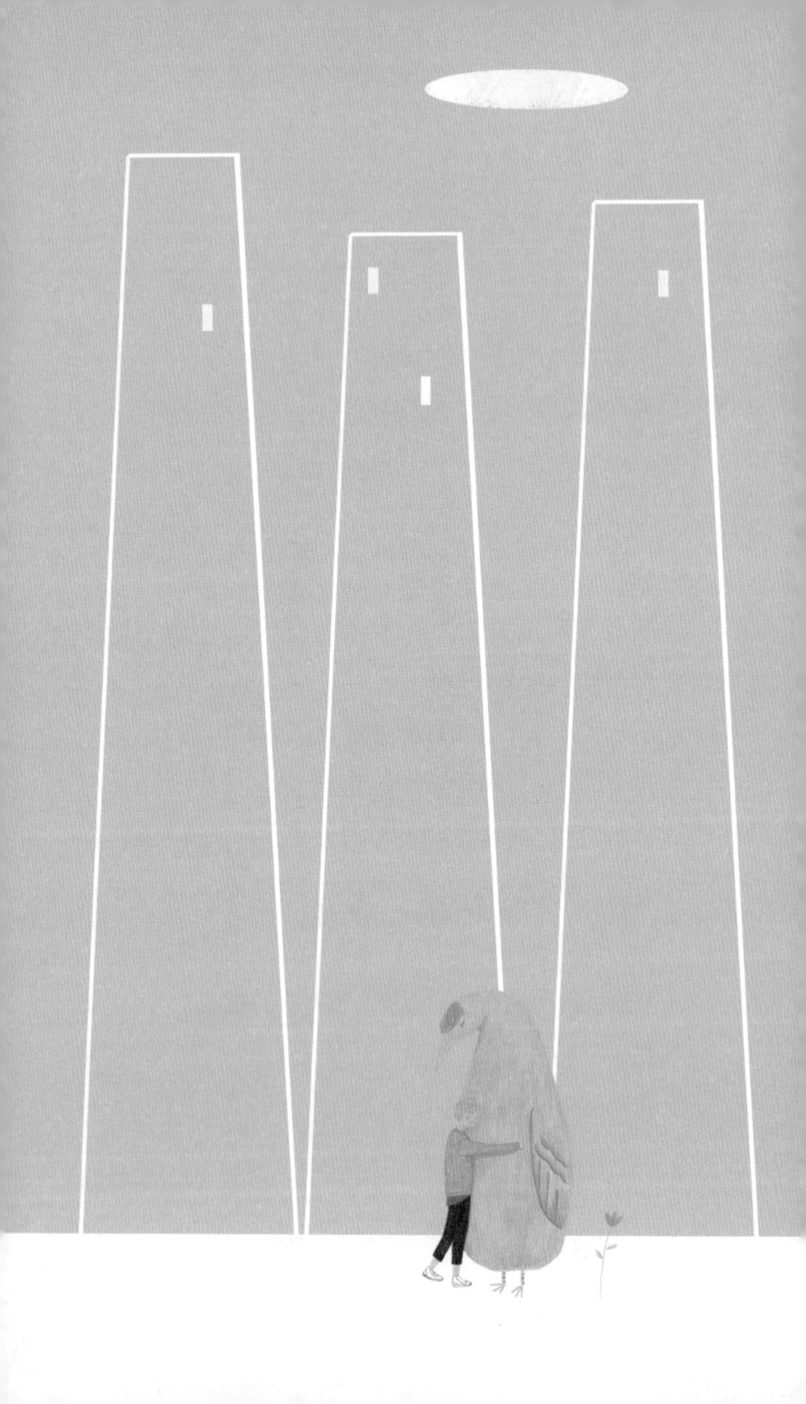

새, 가지 말라는 길

와, 이 노래 중간 부분에 내 시와 비슷한 한 구절이 나왔네. 나의 「그리움」이란 시 말야. 드라마 <남자친구>에서 배우 박보검 씨와 송혜교 씨가 감정적으로 소통하면서 공유했던 시이기도 하지.

"가지 말라는데 가고 싶은 길이 있다/ 만나지 말자면서 만나고 싶은 사람이 있다/ 하지 말라면 더욱 해보고 싶은 일이 있다// 그것이 인생이고 그리움/ 바로 너다."

위의 시에 나오는 이 대목 말이야. "(새처럼)/ 가지 말라는 길을 가고/ 하지 말라는 일을 하고/ 원해선 안 될 걸 원하고/ 또 상처받고 상처받고." 나의 글이 먼저인지 이 노랫말이 먼저인지 그건 별로 중요하지 않아. 이런 좋은 생각이나 느낌을 공유하는 것이 더 좋은 일이고 중요한 일이지.

나는 인생과 그리움을 "가지 말라는데 가고 싶은 길"로 표현했는데 이 노랫말의 주인은 새와 그 비상을 "가지 말라는 길을 가고 하지 말라는 일을 하고"로 표현했네. 같으면서도 서로 다름이지. 이걸 공자님은 화이부동(和而不同)이란 말로 나타내셨어. "서로 비슷하고 잘 어울리지만 끝까지 같지는 않다"라는 말씀이지.

어린 시절 우리는 인생의 모든 것이 나의 소망대로 다 이루어질 거라고 생각해. 그렇지만 자라면서 하나둘씩 그 믿음이나 소망이 이루어지지 않기도 한다는 걸 배우게 돼. 그게 어쩌면 인생인지도 몰라. 슬프고 안타까운 일이지.

하지만, 하지만 말야. 노래의 주인공은 결코 거기서 멈추지 않고 좌절하지 않아. 어릴 적 꿈을 버리지 않아. 상처받고 좌절하고 무너지고 주저앉아도 거기서 멈추지 않고 새로운 길을 시도하지. 육신의 날개보다는 마음의 날개를 택하는 거야.

"난 날 믿어 내 등이 아픈 건/ 날개가 돋기 위함인 걸/ 난 널 믿어 지금은 미약할지언정/ 끝은 창대한 비약인 걸/ Fly, fly up in the sky/ Fly, fly get'em up high."

자신이 자신을 믿는 마음. 그것은 자기 신뢰지. 나아가 그것은 자기 위안이기도 하고 자기 긍정이기도 하지. 험난

한 세상을 우리가 헤쳐가기 위해서는 이런 마음들이 필요해. 자기를 칭찬하고 자기를 믿고 그래야지. 일테면 자존감을 높이는 거야.

"날아, 날아서 하늘로 가/ 날아, 날아서 높이 올라가." 이러한 자신감과 자기 신뢰와 새로운 시도만 있다면 언젠가는 그의 등에도 새의 날개와 비슷한 날개가 돋을 것이고 비상의 날이 실현되고 말 거야.

새의 길, 그것은 가지 말라는 길, 금기의 길이지만 진정 마음이 강하고 용기 있는 자가 꿈꾸는 길이고 끝내 성취해야 할 길이지. "별을 따지 못한 것이 잘못이 아니고 별을 가슴에 품지 않은 것이 죄악이다." 어딘가에서 읽은 문장이야.

필 땐 장미꽃처럼
흩날릴 땐 벚꽃처럼
질 땐 나팔꽃처럼
아름다운 그 순간처럼

2
PART

Intro : Serendipity

이 모든 건 우연이 아냐
그냥 그냥 나의 느낌으로
온 세상이 어제완 달라
그냥 그냥 너의 기쁨으로

니가 날 불렀을 때
나는 너의 꽃으로
기다렸던 것처럼
우린 시리도록 피어
어쩌면 우주의 섭리
그냥 그랬던 거야
U know I know
너는 나 나는 너

설레는 만큼 많이 두려워
운명이 우릴 자꾸 질투해서

너만큼 나도 많이 무서워
When you see me
When you touch me

우주가 우릴 위해 움직였어
조금의 어긋남조차 없었어
너와 내 행복은 예정됐던걸
Cuz you love me
And I love you

넌 내 푸른곰팡이
날 구원해준
나의 천사 나의 세상

난 네 삼색 고양이
널 만나러 온

Love me now touch me now

Just let me love you

Just let me love you

우주가 처음 생겨났을 때부터

모든 건 정해진 거였어

Just let me love you

Let me love

Let me love you

Let me love

Let me love you

사랑의 기쁨

나의 시 중에 이런 작품이 있어. “한 남자가 한 여자의 손을 잡았다/ 한 젊은 우주가 또 한 젊은/ 우주의 손을 잡은 것이다// 한 여자가 한 남자의 어깨에 몸을 기댔다/ 한 젊은 우주가 또 한 젊은/ 우주의 어깨에 몸을 기댄 것이다// 그것은 푸르른 5월 한낮/ 능금꽃 꽃등을 밝힌/ 능금나무 아래서였다.”

「능금나무 아래」란 제목의 시지. 시에서 보이듯이 한 남자와 한 여자가 서로 사랑을 하는 일은 보통의 일이 아니란 것이지. 그것은 하나의 우주와 또 하나의 우주가 서로 만난 것을 말하는 것이지. 그만큼 사랑은 일상적인 일이지만 놀랍고도 신비한 그 무엇이 있다는 말이야.

노래의 주인공도 마찬가지야. 사랑을 놀라운 일, 기적 같은 일로 보는 거야. 그렇지 않으면 사랑이 아니란 것이지. “이 모든 건 우연이 아냐/ 그냥 그냥 나의 느낌으로/ 온 세상이 어제완 달라/ 그냥 그냥 너의 기쁨으로// 니가 날 불렀을 때/ 나는 너의 꽃으로/ 기다렸던 것처럼/ 우린 시리도록 피어/ 어쩌면 우주의 섭리/ 그냥 그랬던 거야/ U know I know/ 너는 나 나는 너."

노랫말이 부드럽고 깊이 있고 아름답다는 너의 말을 다시금 떠올려. 그래, 정말로 노랫말이 아름다워. 무릇 문장 가운데 좋은 건 입말체로 된 문장이야. BTS가 부른 노랫말들이 거의 다 그렇게 입말체로 되어 있어.

이건 매우 당연하면서도 특별한 일이지. 시인들도 시를 쓸 때는 입말체로 써야만 해. 그래야만 시가 자연스럽고 감정이 부드럽고 순하게 전달돼. 그런데 다수의 시인들이 입말체로 시를 쓰는 게 아니라 글말체로 시를 써. 그러니 시가 무겁고 지루해지지.

노랫말 중간 부분에 또 재밌는 표현이 보여. "넌 내 푸른곰팡이/ 날 구원해준/ 나의 천사 나의 세상// 난 네 삼색 고양이/ 널 만나러 온/ Love me now touch me now." 내가 사랑하는 대상인 너를 '푸른곰팡이'라고 말했어. 그리고 나는 '네 삼색 고양이'라고 또 말했어.

글쎄, 푸른곰팡이와 나의 연인이 어떤 연결고리가 있고 삼색 고양이와 내가 어떤 관계가 있을까? 나로서는 짐작이 잘 가지 않지만 재미있다는 것만은 느껴. 푸른곰팡이와 삼색 고양이. 어쨌든 재밌잖아.

세상의 모든 것을 우리가 다 알 필요는 없다고 봐. 모두 이해할 필요도 없다고 봐. 문제는 느낌이야. 느낌이 중요해. 느낌으로 만나는 세계, 느낌으로 이해되는 세계. 그것이 사랑의 세계인지도 몰라. 사랑의 기쁨, 그것은 나도 모르게 찾아와 나를 점령하고 나를 움직이는 힘이라고 봐.

Best Of Me

When you say that you love me
난 하늘 위를 걷네
영원을 말해줘 just one more time
When you say that you love me
난 그 한 마디면 돼
변하지 않는다고 just one more time

넌 내게 이 세계의 전부 같아
더 세게 아프게 날 꽉 껴안아

우리가 나눈 something
And you can't make it nothing
잊지 않아줬으면 해
넌 내

하루하루

여름, 겨울

넌 몰라도

You got the best of me

You got the best of me

So please just don't leave me

You got the best of me

나도 나의 끝을 본 적 없지만

그게 있다면 너지 않을까

다정한 파도고 싶었지만

니가 바다인 건 왜 몰랐을까

어떡해 너의 언어로 말을 하고

또 너의 숨을 쉬는데

I'll be you 날 쥐고 있는 너

난 너의 칼에 입 맞춰

그러니 take my hand right now

이런 내가 믿기지 않아

속으로만 수천 번은 더 말했었던 그 말

그대는 날 떠나지 마

You got the best of me

You got the best of me

꿈인지 현실인지는 딱히 중요치 않지

그저 니가 내 곁에 있다는 게

Thanks

하루하루

여름, 겨울

넌 몰라도

You got the best of me

You got the best of me

So please just don't leave me

You got the best of me

넌 나의 구원 넌 나의 창

난 너만 있으면 돼

You got the best of me

니가 필요해

So please just don't leave me

You got the best of me

비가 내리던 나

눈이 내리던 나

모든 불행을 멈추고

천국을 데려와

쉽게 말하지 마

너 없는 난 없어

넌 내 best of me

The best of me

그냥 나에 대한 확신을 줘

그게 내가 바란 전부이니까

우리의 규율은 없다 해도

사랑하는 법은 존재하니까

Who got the best of me?

Who got the best of me?

누구도 몰라 but I know me

내 최고의 주인인 걸 넌

You got the best of me

You got the best of me

So please just don't leave me

You got the best of me

넌 나의 구원 넌 나의 창

난 너만 있으면 돼

You got the best of me

니가 필요해

So please just don't leave me

You got the best of me

When you say that you love me

난 하늘 위를 걷네

영원을 말해줘 just one more time

When you say that you love me

난 그 한 마디면 돼

변하지 않는다고 just one more time

황홀한 고백

이 노래는 BTS 노래 가운데서도 가장 달콤하고 황홀한 노래 같아. 모르면 몰라도 리듬이 부드럽고 경쾌하면서 빠르게 출렁거릴 거야. 그래서 사람의 마음을 흔들고 끝내는 흥분하도록 만들어줄 거야.

흥분한다는 것은 좋은 일이야. 그것이 화를 내는 것이라든지 본능적인 어떤 감정과 연결되어서 그렇지, 사람 마음을 허공으로 붕 뜨게 하고 가슴을 두근거리게 해주는 경험은 실상 우리로 하여금 특별한 세상, 비밀한 세상을 경험하게 하지.

사랑의 감정이 바로 그런 마음이야. 누군가를 사랑하고 좋아하게 되면 갑자기 세상이 달라지게 되어 있어. 평범하던 일들이 특별해 보이고 지루하고 따분한 일상까지도 싱싱해지고 아기자기한 그 무엇으로 바뀌고 말지.

위의 노래에서 가장 많이 반복되는 말은 “You got the best of me”, “넌 날 가졌어”란 말이야. 나만의 내가 아니고 너의 나라는 이 고백, 이보다 더 적극적이고 황홀한 고백이 어디 있을까. 이런 고백 앞에 넘어가지 않을 사람이 또 누가 있을까.

아, 사랑의 막강함이여. 사랑의 우격다짐이여. 그러나 그것이 끝내 허방다리인 것을 알게 될 때 그 허무함을 어찌 감당할 것인지! 진정 그렇다 해도 사랑이 찾아올 때는 사랑에 젖어보는 게 좋지 않을까. 인간은 어차피 불완전한 존재이고 무너지는 존재이고 순간순간 변하는 존재이니까.

예원아, 이 노랫말을 읽으면서 언뜻 나의 시 한 편이 떠오르는 거 있지. 바로 「황홀 극치」란 시야. 아래에 옮겨볼게.

"황홀, 눈부심/ 좋아서 어쩔 줄 몰라 함/ 좋아서 까무러칠 것 같음/ 어쨌든 좋아서 죽겠음// 해 뜨는 것이 황홀이고/ 해 지는 것이 황홀이고/ 새 우는 것 꽃 피는 것 황홀이고/ 강물이 꼬리를 흔들며 바다에/ 이르는 것 황홀이다// 그렇지, 무엇보다/ 바다 울렁임, 일파만파, 그곳의 노을,/ 빠져 죽어버리고 싶은 충동이 황홀이다// 아니다, 내 앞에/ 웃고 있는 네가 황홀, 황홀의 극치다// 도대체 너는 어디서

온 거냐?/ 어떻게 온 거냐?/ 왜 온 거냐?/ 천 년 전 약속이
나 이루려는 듯."

전하지 못한 진심

외로움이 가득히
피어 있는 이 garden
가시투성이
이 모래성에 난 날 매었어

너의 이름은 뭔지
갈 곳이 있긴 한지
Oh could you tell me?
이 정원에 숨어든 널 봤어

And I know
너의 온긴 모두 다 진짜란 걸
푸른 꽃을 꺾는 손
잡고 싶지만

내 운명인 걸

Don't smile on me

Light on me

너에게 다가설 수 없으니까

내겐 불러줄 이름이 없어

You know that I can't

Show you ME

Give you ME

초라한 모습 보여줄 순 없어

또 가면을 쓰고 널 만나러 가

But I still want you

외로움의 정원에 핀

너를 닮은 꽃

주고 싶었지

바보 같은 가면을 벗고서

But I know

영원히 그럴 수는 없는 걸

숨어야만 하는 걸

추한 나니까

난 두려운 걸

초라해

I'm so afraid

결국엔 너도 날 또 떠나버릴까

또 가면을 쓰고 널 만나러 가

할 수 있는 건

정원에

이 세상에

예쁜 너를 닮은 꽃을 피운 다음

니가 아는 나로 숨 쉬는 것

But I still want you

I still want you

어쩌면 그때

조금만

이만큼만

용길 내서 너의 앞에 섰더라면

지금 모든 건 달라졌을까

난 울고 있어

사라진

무너진

홀로 남겨진 이 모래성에서

부서진 가면을 바라보면서

And I still want you

But I still want you

But I still want you

And I still want you

수줍은 사랑

역시 사랑 노래야. 그런데 이번에는 수줍고도 소극적인 사랑의 노래이고 고백이네. 다가가지 못한 사랑. 망설이면서 멈칫거리는 사랑. 어쩌면 그것은 나이 어린 소년의 사랑인지 몰라. 그래서 다가가지도 못하고 성공하지도 못한 사랑일 거야.

하기는 말야. 사랑에 성공이란 게 있을까. 다만 어디까지 가다가 멈추는 게 사랑 아닐까. 언제나 불완전하고 미완으로 끝나기 마련인 것이 사랑의 본질 아닐까. 언제나 서툴고 모자란 것이 사랑 아닐까.

이 사람, 나이로 쳐서 열다섯, 여섯쯤 됐을까 몰라. 나도 그런 시절이 있었으니까. 그때의 두근거리는 마음, 부끄러운 마음을 어떻게든 다른 사람에게 들키지 않고 나타내고 싶어서 시를 쓰기 시작했으니까.

노래 속에 스토리가 들어 있네. 이 소년은 가시투성이 모래 정원에 매어 고독한 사람. 어느 날 그 소년이 정원에 숨어든 '너'를 보았던 거야. '푸른 꽃을 꺾는 손'을 잡고 싶지만 다가실 수 없는 그 어떤 운명에 묶여 다가갈 수 없다는 거야.

왜? 자기에겐 '불러줄 이름이 없'다는 것이지. 그래서 주인공은 또 말해. 자기는 '진짜 모습을 보여줄 수 없다는' 것. "초라한 모습 보여줄 순 없어/ 또 가면을 쓰고 널 만나러" 간다는 저러한 고백. 이 사람의 소원은 "외로움의 정원에 핀 너를 닮은 꽃"을 주고 싶은 것. "바보 같은 가면을 벗고서" 말이야.

어쩌면 이 사람은 꽃 속에 숨어 있는 요정인지도 몰라. 누구에게나 좋은 일, 사랑스러운 일, 아름다운 일을 선물해주는 요정 말이야. 우리는 때로 누군가에게 요정이 될 수 있어. 다른 사람의 사랑과 행복을 위해 노력하는 사람이 될 때 그 사람의 요정이 되는 것이지.

"어쩌면 그때/ 조금만/ 이만큼만/ 용길 내서 너의 앞에 섰더라면/ 지금 모든 건 달라졌을까// 난 울고 있어/ 사라진/ 무너진/ 홀로 남겨진 이 모래성에서/ 부서진 가면을 바라보면서." 어떻게 보면 이건 실패한 사랑, 망가진 사랑이야.

그런데 말야. 이런 결말이 오히려 아름답게 느껴지고 소중하게 다가오는 건 왜까. 안쓰러움 때문일까. 마음 깊숙이 숨어 있는 오랜 옛날의 추억 때문일까. 그 동질감 때문일까. 수줍은 이 사람의 사랑 앞에 우리도 잠시 수줍은 사랑을 배우게 돼.

마지막 부분에 메아리나 흐느낌처럼 반복되는 이 사람의 호소를 좀 들어봐. "And I still want you(그리고 여전히 난 널 원해)" "But I still want you(그러나 여전히 난 널 원해)" 사랑은 본래 그런 것인가봐. 무용한 것을 유용하게 하기도 하고 유용한 것을 또 무용하게 하기도 하는.

134340

그럴 수만 있다면 물어보고 싶었어
그때 왜 그랬는지 왜 날 내쫓았는지
어떤 이름도 없이 여전히 널 맴도네
작별이 무색해 그 변함없는 색채

나에겐 이름이 없구나
나도 너의 별이었는데
넌 빛이라서 좋겠다
난 그런 널 받을 뿐인데
무너진 왕성에
남은 명이 뭔 의미가 있어
죽을 때까지 받겠지
니 무더운 시선
아직 난 널 돌고 변한 건 없지만
사랑에 이름이 없다면
모든 게 변한 거야

넌 정말로 Eris를 찾아낸 걸까

말해 내가 저 달보다 못한 게 뭐야

us는 u의 복수형일 뿐

어쩌면 거기 처음부터 난 없었던 거야

언젠가 너도 이 말을 이해하겠지

나의 계절은 언제나 너였어

내 차가운 심장은 영하 248도

니가 날 지운 그날 멈췄어

Damn

난 맴돌고만 있어

(난 널 놓쳤어 난 널 잃었어)

난 헛돌고만 있어

(넌 날 지웠어 넌 날 잊었어)

한때는 태양의 세계에 속했던

(노랜 멈췄어 노랜 멎었어)

별의 심장엔 텁텁한 안개층뿐

(넌 날 지웠어 넌 날 잊었어)

어제와는 그리 다를 건 없네 ay

똑같은 일상 속에 딱 너만 없네 ay

분명 어제까지는 함께였는데 ay

무서울 정도로 똑같은 하루 속엔 딱 너만 없네

솔직히 말해 니가 없던 일 년쯤

덤덤했지 흔히 말하는 미련도

없던 지난날 이젠 깜빡

니 향기 따윈 기억도 안 나 잠깐

근데 어디선가 맡아봤던 향순데 ay

기억이 어렴풋이 피어날 듯해 ay

저기 저기 고개를 돌려보니

환하게 웃으며 다가오는 니 옆엔 그

(안녕?) 안녕
어떻게 지내? 나는 뭐 잘 지내
왠지 터질 듯한 내 심장과는 달리
이 순간 온도는 영하 248

난 맴돌고만 있어
(난 널 놓쳤어 난 널 잃었어)
난 헛돌고만 있어
(넌 날 지웠어 넌 날 잊었어)

한때는 태양의 세계에 속했던
(노랜 멈췄어 노랜 멎었어)
별의 심장엔 텁텁한 안개층뿐
(넌 날 지웠어 넌 날 잊었어)

난 맴돌고만 있어

(안개 너머의 여전히 미소 띤 널 지켜보지

의미도 너도 다 없는 불규칙 내 궤도의 현실)

난 맴돌고만 있어

(너에겐 기억하기 힘든 숫자와 어둠의 Pluto

그래도 계속 난 너의 주위를 맴돌겠지 damn)

난 맴돌고만 있어

(난 널 놓쳤어 난 널 잃었어)

난 헛돌고만 있어

(넌 날 지웠어 넌 날 잊었어)

한때는 태양의 세계에 속했던

(노랜 멈췄어 노랜 멎었어)

별의 심장엔 텁텁한 안개층뿐

(넌 날 지웠어 넌 날 잊었어)

버려진 자의 아픔

처음 나는 도대체 이 노래가 무슨 노랜지 이해를 하지 못했어. 제목으로 나온 '134340', 숫자가 뜻하는 것부터가 그랬어. 그런데 인터넷을 통해서 그 비밀을 알게 되었지. 134340이란 명왕성을 가리키는 말이란 거야. 왜 그럴까?

명왕성은 카이퍼대(Kuiper belt)에 있는 왜소행성 가운데 하나이다. 해왕성 바깥 천체(Trans-neptunian objects; TNOs) 중에 가장 밝다. 소행성명은 134340 명왕성(134340 Pluto)이다. 1930년 발견된 이래 태양계의 아홉 번째 행성으로 생각되었지만, 1990년대 이후 관측기기의 발달로 이와 비슷한 궤도를 도는 천체들이 여럿 발견되면서 행성 자격에 대한 논란에 불이 붙었다. 2006년 국제천문연맹(IAU)은 행성에 관한 새로운 정의에 합의, 이를 만족하지 못하는 명왕성을 왜소행성으로 분류했다.

이것은 천문학 백과사전(wiki.kas.org)의 해설이야. 놀라운 사실, 미지의 사실이었어. 그러니까 태양계의 마지막 행성이 명왕성인데, 2006년 명왕성이 행성 자격을 박탈당했다는 거야. 2005년 에리스(Eris)란 소행성을 발견하고 나서 에리스와 거의 흡사했던 명왕성 또한 소행성으로 편입되었다는 거야.

명왕성의 영어 명칭은 플루토(Pluto). 행성보다 작은 소행성은 이름이 아닌 번호로 불린다는 거야. 그 번호가 '134340'이라는 거야. 그것은 명왕성이 행성에서 제외되고 난 뒤 생긴 이름. 이 노래의 작사에는 BTS의 랩 라인인 RM, 슈가, 제이홉이 참여했다고 해.

이런 배경지식과 전제가 깔린다면 이 노래는 충분히 이해가 가. 말하자면 버려진 자의 슬픔을 노래한 거지. 그 대상이 사람이든 물건이든 버려진 자에게는 슬픔이 있게 마련이야. 그걸 또 보는 사람에겐 동정심 같은 것이 있을 것이고. 바로 그런 마음에서 나온 노래야.

처음엔 "이 순간 온도는 영하 248" 같은 대목도 도무지 이해가 가지 않았는데 과학적 지식을 동원하면서 이해가 갔어. 명왕성의 표면 온도가 '최저 섭씨 영하 240도에서 최고 섭씨 영하 218도, 평균 영하 229도'라는 거야. 참 믿을 수 없는 놀라운 사실이지.

노래 내용이 우주적이야. 매크로, 거시적 안목이지. 지구 밖 태양계의 일과 인간의 일을 동일시해서 버려지고 잊혀진 자의 외로움과 슬픔과 섭섭함을 표현했어. 그러면서 반대로 마이크로, 미시적 접근으로 인간의 세심한 내면을 표현하고 있어.

이런 대목에서 나는 나의 시 한 편을 떠올려. 「시」라는 제목의 시야. "마당을 쓸었습니다/ 지구 한 모퉁이가 깨끗해졌습니다// 꽃 한 송이 피었습니다/ 지구 한 모퉁이가 아름다워졌습니다// 마음속에 시 하나 싹 텄습니다/ 지구 한 모퉁이가 밝아졌습니다// 나는 지금 그대를 사랑합니다/ 지구 한 모퉁이가 더욱 깨끗해지고/ 아름다워졌습니다."

Love Maze

Cuz I'll be in love maze

Cuz I'll be in love maze

선택의 미로 속에 갇혀

막다른 혼돈 속에 지쳐

우린 정답을 찾아 헤맸었지만

Lost in the maze in the darkness

끝없이 길을 달리고 달려봐도

저 수많은 거짓 아우성들이

우릴 갈라놓을 수 있어

정말인 걸 baby

우린 우리만 믿어야 해

두 손 놓치면 안 돼

영원히 함께여야 해

남들은 얘기해
이럼 너만 바보 돼
But I don't wanna use my head
I don't wanna calculate
Love ain't a business
Rather like a fitness
머리 쓰며 사랑한 적 없기에
추울 걸 알아 겨울처럼 말야
그래도 난 부딪치고 싶어 ayy
니가 밀면 넘어질게 날 일으켜줘 yeah
내가 당겨도 오지 않아도 돼
Let them be them
Let us be us
Love is a maze damn
But you is amaze yeah

Take my ay ay hand 손을 놓지 마

Lie ay ay 미로 속에서

My ay ay 절대 날 놓치면 안 돼

In love maze

Take my ay ay hand 손을 놓지 마

My ay ay 더 가까이 와

My ay ay 절대 엇갈리면 안 돼

In love maze

남들이 뭐라던 듣지 말자

Just let'em talk 누가 뭐라건

그럴수록 난 더 확신이 생겨

Yeah yeah yeah

Yeah yeah yeah

Can't you hear me 날 믿어야 해

Baby just don't give a damn

Promise 내게 약속해

사방이 막혀 있는 미로 속 막다른 길

이 심연 속을 우린 거닐고 있지

저기 가느다란 빛

그 낙원을 향해 헤매고 있기를

명심해 때론 거짓은 우리 사일 가르려 하니

시련은 우릴 속이려 하지 but

그럴 땐 내게 집중해

어둠 속에선 우리면 충분해

덧없는 거짓 속에서

우리가 함께면 끝이 없는 미로조차 낙원

Take my ay ay hand 손을 놓지 마

Lie ay ay 미로 속에서

My ay ay 절대 날 놓치면 안 돼
In love maze

뭐 어쩌겠어 우린 공식대로 와 있고
그래 어쩌겠어 그 법에 맞춰 맞닿아 있어
방황하는 이 미로도
미지수의 그 기로도
서로를 위한 섭리 중 하나인 걸
난 늘 생각해 영원은 어렵대도
해보고 싶다고 그래 영원해 보자고
둘만의 산 둘만의 climb
둘만의 세계의 축 둘만의 마음
출구를 향한 travel
잡은 두 손이 지도가 되어

Take my ay ay hand 손을 놓지 마

Lie ay ay 미로 속에서

My ay ay 절대 날 놓치면 안 돼

In love maze

Take my ay ay hand 손을 놓지 마

My ay ay 더 가까이 와

My ay ay 절대 엇갈리면 안 돼

In love maze

막강한 노래의 힘

예원아, 나는 시란 가슴속에 가득한 감정을 누군가 좋은 사람에게 고백하고 호소하는 문장이라고 생각해. 그건 노래 또한 그럴 거야. 그렇게 되면(호소와 고백을 하게 되면) 내 마음이 가벼워지고 상대방의 마음을 움직이거나 감동을 끌어낼 수 있지. 정신적으로나 감정적으로 너와 내가 하나가 되는 것이고 동질감을 갖는 것이지.

이 노래는 호소와 고백으로 가득해. 아마도 노래의 리듬이 빠르고 힘찰 거야. 어둡고 답답한 현실이지만 그것을 탈출하고자 하는 강한 의지를 담고 있어. 넘치는 에너지를 느껴. 이런 노래를 들으며 오늘의 젊은 세대는 스스로 힘을 얻고 용기를 찾을 거야. 역시 노래가 가진 놀라운 효과와 능력이지.

사랑에 대한 생각이나 정의도 기존의 것과는 확 달라. 사랑은 계산이 아니라는 것. 사랑은 또 사업이 아니라 오히려 운동이라는 것. 사랑의 방법도 아주 달라. 남들이 뭐라든 들을 필요가 없고 눈치를 볼 필요도 없다는 것. 역시 신세대의 사랑법이야.

"사방이 막혀 있는 미로 속 막다른 길/ 이 심연 속을 우린 거닐고 있지/ 저기 가느다란 빛/ 그 낙원을 향해 헤매고 있기를/ 명심해 때론 거짓은 우리 사일 가르려 하니/ 시련은 우릴 속이려 하지 but/ 그럴 땐 내게 집중해/ 어둠 속에선 우리면 충분해/ 덧없는 거짓 속에서/ 우리가 함께면 끝이 없는 미로조차 낙원."

내가 읽을 때 가장 아름답게 읽히는 문장이야. 그 어떤 시인의 시보다도 좋은 문장이야. 이런 문장을 읽으면서 나도 반성하게 돼. 보다 쉬운 말로 보다 친근하고 속내 깊은 내용을 시로 써야 한다고 말이야. 요즘 우리 시인들이 쓰는 시는 너무 어려워.

문제는 시인들의 시에 겉멋이 많고 가식이 많고 현학이 많다는 거지. 다시 말하면 잘난 척하고 아는 척한다는 거지. 이건 아주 금물이야. 그러다 보면 자기들만의 리그에 빠지게 돼. 독자나 이해자, 동행자, 응원자 없는 예술이나 스포츠가 어찌 있겠어.

화가 마티스도 이런 말을 했어. “나는 사람들이 ‘이건 그리기 쉬운 그림이야’라고 말할 수 있는 그림을 그리고 싶었다.” 그런 점에서 나는 이 땅의 시 쓰는 한 사람으로서 반성을 하게 돼.

“뭐 어쩌겠어 우린 공식대로 와 있고/ 그래 어쩌겠어 그 법에 맞춰 맞닿아 있어/ 방황하는 이 미로도/ 미지수의 그 기로도/ 서로를 위한 섭리 중 하나인 걸/ 난 늘 생각해 영원은 어렵대도/ 해보고 싶다고 그래 영원해 보자고/ 둘만의 산 둘만의 climb/ 둘만의 세계의 축 둘만의 마음/ 출구를 향한 travel/ 잡은 두 손이 지도가 되어.”

이런 대목을 읽으면서, 아니 노래로 들으면서 오늘의 지치고 힘든 젊은 세대는 작지만 분명한 용기를 얻을 수 있을 거야. 역시 노래의 힘은 크고 막강한 것이 분명해.

Magic Shop

망설인다는 걸 알아 진심을 말해도
결국 다 흉터들로 돌아오니까
힘을 내란 뻔한 말은 하지 않을 거야
난 내 얘길 들려줄게 들려줄게

내가 뭐랬어
이길 거랬잖아
믿지 못했어 (정말)
이길 수 있을까
이 기적 아닌 기적을
우리가 만든 걸까
(No) 난 여기 있었고
니가 내게 다가와준 거야
I do believe your galaxy
듣고 싶어 너의 멜로디
너의 은하수의 별들은

너의 하늘을 과연 어떻게 수놓을지

나의 절망 끝에

결국 내가 널 찾았음을 잊지 마

넌 절벽 끝에

서 있던 내 마지막 이유야

Live

내가 나인 게 싫은 날 영영 사라지고 싶은 날

문을 하나 만들자 너의 맘속에다

그 문을 열고 들어가면 이곳이 기다릴 거야

믿어도 괜찮아 널 위로해줄 Magic Shop

따뜻한 차 한 잔을 마시며

저 은하수를 올려다보며

넌 괜찮을 거야 oh 여긴 Magic Shop

So show me (I'll show you)

So show me (I'll show you)

So show me (I'll show you)

Show you show you

필 땐 장미꽃처럼

흩날릴 땐 벚꽃처럼

질 땐 나팔꽃처럼

아름다운 그 순간처럼

항상 최고가 되고 싶어

그래서 조급했고 늘 초조했어

남들과 비교는 일상이 돼버렸고

무기였던 내 욕심은 되려 날 옥죄고 또 목줄이 됐어

그런데 말야 돌이켜보니 사실은 말야 나

최고가 되고 싶었던 것이 아닌 것만 같아

위로와 감동이 되고 싶었었던 나

그대의 슬픔, 아픔 거둬가고 싶어 나

내가 나인 게 싫은 날 영영 사라지고 싶은 날
문을 하나 만들자 너의 맘속에다
그 문을 열고 들어가면 이곳이 기다릴 거야
믿어도 괜찮아 널 위로해줄 Magic Shop

따뜻한 차 한 잔을 마시며
저 은하수를 올려다보며
넌 괜찮을 거야 oh 여긴 Magic Shop

So show me (I'll show you)
So show me (I'll show you)
So show me (I'll show you)
Show you show you

나도 모든 게 다 두려웠다면 믿어줄래
모든 진심들이 남은 시간들이
너의 모든 해답은 니가 찾아낸 이곳에
너의 은하수에 너의 마음속에

You gave me the best of me
So you'll give you the best of you
날 찾아냈잖아 날 알아줬잖아
You gave me the best of me
So you'll give you the best of you
넌 찾아낼 거야 네 안에 있는 galaxy

So show me (I'll show you)
So show me (I'll show you)
So show me (I'll show you)
Show you show you

사랑처럼 기적처럼

와, 이 노래도 대단하네. 작은 이야기 안에 아주 커다란 세상을 담았어. 과연 BTS다워. 시작은 흥얼거림이야. 그 흥얼거림이 자꾸만 이어지고 확장되면서 커다란 세상, 눈부신 세계, 놀라운 기적을 일으켜. 그야말로 Magic Shop. 마법의 공간, 마법의 가게야.

주인공은 자기에게 다가와준 '너' 자체를 기적이라고 믿고 그로 인해서 생긴 사랑을 역시 기적이라고 믿어. 그래서 그는 상대방의 가슴속에 숨겨진 '은하수'를 찾아내. 그것은 더욱 놀라운 기적이지. 이것이 또 인간과 사랑과 믿음만이 가능하게 하는 기적인 것이지.

"I do believe your galaxy." 나는 너의 은하수를 믿어. 이보다 더 큰 신뢰가 어디 있고 사랑이 어디 있을까. "너의 은하수의 별들은/ 너의 하늘을 과연 어떻게 수놓을지/ 나의 절망 끝에/ 결국 내가 널 찾았음을 잊지 마/ 넌 절벽 끝에/ 서 있던 내 마지막 이유야/ Live." 이보다 더 확고한 삶의 이유가 또 어디 있을까.

끝내 주인공이 바라는 세상은 나 혼자만의 안일과 성취와 행복만 있는 세상이 아니라 '너'와 함께 하는 나라야. 보다 넓은 세상. 그러기 위해 주인공은 너와 나를 연결하는 '문'을 갖고 싶어 해. "그 문을 열고 들어가면 이곳이 기다릴 거야/ 믿어도 괜찮아 널 위로해줄 Magic Shop."

그 마법의 공간에서 주인공이 하고 싶은 일은 대단한 것이 아니야. "따뜻한 차 한 잔을 마시며/ 저 은하수를 올려다보며/ 넌 괜찮을 거야 oh 여긴 Magic Shop." 그래, 은하수를 바라보면서 따뜻한 차 한 잔을 마시는 일이지.

나는 이 노래에서 가장 아름다운 부분은 중간에 나오는 이런 부분이라고 생각해. 사람 마음을 밝고 가볍게 해주면서 희망을 주는 문장들이야. 이런 문장들을 통해 오늘의 젊은 세대가 저들의 힘든 현실에 위로를 받고 힘을 얻고 그럴 거야.

사랑처럼 기적처럼 이어지는 BTS, 저들의 노래는 막강한 힘을 지니고 있어. 나같이 나이 든 사람이 읽어도 가슴이 설레고 이상한 기운에 휩싸이게 돼. 사랑을 느끼고 기적을 느끼는 것이지. 예원아, 그럼 한번 나와 함께 읽어볼래?

"필 땐 장미꽃처럼/ 흩날릴 땐 벚꽃처럼/ 질 땐 나팔꽃처럼/ 아름다운 그 순간처럼/ 항상 최고가 되고 싶어/ 그래서 조급했고 늘 초조했어/ 남들과 비교는 일상이 돼버렸고/ 무기였던 내 욕심은 되려 날 옥죄고 또 목줄이 됐어/ 그런데 말야 돌이켜보니 사실은 말야 나/ 최고가 되고 싶었던 것이 아닌 것만 같아/ 위로와 감동이 되고 싶었었던 나/ 그대의 슬픔, 아픔 거둬가고 싶어 나."

Euphoria

너는 내 삶에 다시 뜬 햇빛
어린 시절 내 꿈들의 재림
모르겠어 이 감정이 뭔지
혹시 여기도 꿈속인 건지

꿈은 사막의 푸른 신기루
내 안 깊은 곳의 a priori
숨이 막힐 듯이 행복해져
주변이 점점 더 투명해져

저기 멀리서 바다가 들려
꿈을 건너서 수풀 너머로
선명해지는 그곳으로 가
Take my hands now
You are the cause of my euphoria

Euphoria

Take my hands now

You are the cause of my euphoria

Euphoria

Close the door now

When I'm with you I'm in utopia

너도 나처럼

지워진 꿈을 찾아 헤맸을까

운명 같은 흔한 말관 달라

아픈 너의 눈빛이 나와 같은 곳을 보는 걸

Won't you please stay in dreams

저기 멀리서 바다가 들려

꿈을 건너서 수풀 너머로

선명해지는 그곳으로 가

Take my hands now

You are the cause of my euphoria

Euphoria

Take my hands now

You are the cause of my euphoria

모래 바닥이 갈라진대도

그 누가 이 세겔 흔들어도

잡은 손 절대 놓지 말아줘

제발 꿈에서 깨어나지 마

저기 멀리서 바다가 들려

꿈을 건너서 수풀 너머로

(제발 꿈에서 깨어나지 마)

선명해지는 그곳으로 가

Take my hands now

You are the cause of my euphoria

Euphoria

Take my hands now

You are the cause of my euphoria

Euphoria

Close the door now

When I'm with you I'm in utopia

꿈속의 꿈

인류는 옛날부터 인생 자체를 하나의 꿈으로 보는 경향이 있어. 인생을 그 자체로만 보지 않고 꿈속의 또 하나의 꿈으로 보는 견해가 그것이지. 사실 허둥지둥 살다가 나이 든 사람이 되고 보면 정말 내가 산 이제까지의 삶이 꿈이 아닌가, 그런 때가 있어.

중국의 장자가 쓴 『장자』 「제물편(齊物篇)」에 보면 '호접지몽(胡蝶之夢)'이란 이야기가 나와. 한 사람이 어느 날 자신이 나비가 된 꿈을 꾸었는데 꿈을 꾸고 난 다음, "내가 나비의 꿈을 꾼 것이냐? 아니면 나비가 내 꿈을 꾼 것이냐?" 어리둥절해하는 이야기가 바로 그것이야.

말하자면 우리 인생을 하나의 시뮬레이션으로 보는 경우지. 컴퓨터 가상공간에서 일어나는 게임처럼 보는 관점 말이야. 우리 자신이 우주란 커다란 가상공간에 던져진 가상적인 존재들이고 우리의 삶 또한 그런 가상적인 존재의 가상적인 행동과 경험이란 거야.

아닌 게 아니라 지나치게 격정적인 일을 당했을 때 사람들은 그게 꿈인지 생시인지 의아해하기도 하지. 가령, 자기도 예상치 못한 일이 일어났거나 아주 기쁜 일이 있을 때 혹시 이게 꿈이 아닐까 자신의 살을 꼬집어보는 게 바로 그런 경우야.

우리의 BTS도 '행복' 앞에서 그런 느낌인가봐. "너는 내 삶에 다시 뜬 햇빛/ 어린 시절 내 꿈들의 재림/ 모르겠어 이 감정이 뭔지/ 혹시 여기도 꿈속인 건지." 아니야. 이건 아직 행복이라기보다는 사랑이라고 보아야겠네. 그래. 사랑이, 사랑의 감정이 행복을 불러오는 것이지.

행복이란 홀로 존재하는 감정이나 정신 상태가 아니라 무언가 다른 것들 다음에 오는 복합적인 감정이라고 보아야 해. 기쁨이라든지, 성취라든지, 만족이라든지 그런 감정 다음에 오는 이차적인 몰입이나 환각 같은 것일 거야.

사랑의 환희. "꿈은 사막의 푸른 신기루/ 내 안 깊은 곳의 a priori/ 숨이 막힐 듯이 행복해져/ 주변이 점점 더 투명해져." 거기서 행복이 오는 거야. '숨이 막힐 듯한 행복'이란

'주변이 점점 더 투명해'지는 정신 상태 어디쯤인가봐. 나는 지금껏 한 번도 그런 행복을 느끼지 못했기에 부럽고 놀랍기만 해.

"저기 멀리서 바다가 들려/ 꿈을 건너서 수풀 너머로/ 선명해지는 그곳으로 가/ Take my hands now/ You are the cause of my euphoria." 바다 너머 어디쯤 수풀 너머 어디쯤 그곳으로 향하는 마음. 그것은 차라리 도피. "지금 내 손을 잡아줘. 너는 내가 행복한 이유 그것이야."

행복은 다시금 사랑에서 온다는 걸 느끼게 돼. 그래, 사랑은 행복이고, 또 행복은 사랑인가봐.

Trivia 承 : Love

Is this love

Is this love

Sometimes I know

Sometimes I don't

이다음 가사 음

뭐라고 쓸까 음

너무 많은 말이 날 돌지만

내 마음 같은 게 하나 없어

그냥 느껴져

해가 뜨고 나면 꼭 달이 뜨듯이

손톱이 자라듯 겨울이 오면

나무들이 한 올 한 올 옷을 벗듯이

넌 나의 기억을 추억으로 바꿀 사람

사람을 사랑으로 만들 사람

널 알기 전

내 심장은 온통 직선뿐이던 거야

난 그냥 사람 사람 사람
넌 나의 모든 모서릴 잠식
나를 사랑 사랑 사랑
으로 만들어 만들어
우린 사람 사람 사람
저 무수히 많은 직선들 속
내 사랑 사랑 사랑
그 위에 살짝 앉음 하트가 돼

I live so I love
I live so I love
(Live & love, live & love)
(Live & love, live & love)
I live so I love
I live so I love
(Live & love, live & love)

(If it's love, I will love you)

You make I to an O

I to an O

너 땜에 알았어

왜 사람과 사랑이 비슷한 소리가 나는지

You make live to a love

Live to a love

너 땜에 알았어

왜 사람이 사랑을 하며 살아가야 하는지

I와 U의 거린 멀지만

F*** JKLMNOPQRST

모든 글잘 건너 내가 네게 닿았지

봐 내와 네도 똑같은 소리가 나잖아

그렇다고 내가 넌 아니지만

너의 책장의 일부가 되고파

너의 소설에 난 참견하고파

연인으로

난 그냥 사람 사람 사람

넌 나의 모든 모서릴 잠식

나를 사랑 사랑 사랑

으로 만들어 만들어

우린 사람 사람 사람

저 무수히 많은 직선들 속

내 사랑 사랑 사랑

그 위에 살짝 앉음 하트가 돼

I live so I love

I live so I love

(Live & love, live & love)

(Live & love, live & love)

I live so I love

I live so I love

(Live & love, live & love)

(If it's love, I will love you)

만약 내가 간다면 어떨까

내가 간다면 슬플까 넌

만약 내가 아니면 난 뭘까

결국 너도 날 떠날까

스치는 바람 바람 바람

(만 아니길 바랄 뿐)

흘러갈 사람 사람 사람

(만 아니길 바랄 뿐)

기분은 파랑 파랑 파랑

(머릿속은 온통 blue)

널 얼마나 마나 마나
얼마나 마나 마나

넌 나의 사람 사람 사람
넌 나의 바람 바람 바람
넌 나의 자랑 자랑 자랑
넌 나의 사랑 (나의 사랑)
단 한 사랑 (단 한 사랑)

넌 나의 사람 사람 사람
넌 나의 바람 바람 바람
넌 나의 자랑 자랑 자랑
넌 나의 사랑 (나의 사랑)
단 한 사랑 (단 한 사랑)

눈부신 한국말 미학

나는 처음 이 가사를 보고 자못 혼란스러웠어. BTS의 다른 노랫말도 그랬지만 이 노랫말은 더욱 이해가 가지 않고 어리둥절했거든. 그래서 인터넷을 열어보고 거기서 이 노래를 찾아서 들어봤어. 노래를 들어보면서 조금씩 이해가 갔어.

랩송이더구나. 그렇지만 이 노래는 기왕의 랩송과는 거리가 있었어. 욕설이나 불평 대신에 애잔한 축복과 위로와 기도와 응원을 담고 있었어. 바로 이거야. 이것이 본래의 랩송과 BTS의 랩송을 구분 짓는 갈림길이었어. 랩송의 방향을 바꿔놓았다고 봐야 할 거야.

노래를 듣다보면 한국말이 영어처럼 들리고 영어가 또 한국말처럼 들려. 이것도 무시 못 할 매력이야. 마치 어린아이 옹알이하듯 이어지는 가사들 속에 한국말이 영어와 함께 아주 아름답게 빛나고 있어. 이 또한 자랑스러운 일이지.

이 노래가 깔고 있는 내용이나 정서는 사랑이야. 우선 이던 대복이 기상천외의 발상이야. "너 땜에 알았어/ 왜 사람과 사랑이 비슷한 소리가 나는지." '너' 때문에 알게 된 것이 '사람'이란 말의 소리와 '사랑'이란 말의 소리가 비슷하게 난다는 거야.

이것도 하나의 발견이야. 생의 발견. 일상생활의 발견. 이것이 바로 시의 핵심이지. 그래서 소년들은 또 고백해. "You make live to a love/ Live to a love." "네가 날 삶에서 사랑으로 바꿨어." 이것은 더욱 큰 발견이고 삶의 발전이야.

"너 땜에 알았어/ 왜 사람이 사랑을 하며 살아가야 하는지/ I와 U의 거린 멀지만/ F*** JKLMNOPQRST/ 모든 글잘 건너 내가 네게 닿았지/ 봐 내와 네도 똑같은 소리가 나잖아/ 그렇다고 내가 넌 아니지만/ 너의 책장의 일부가 되고파/ 너의 소설에 난 참견하고파/ 연인으로." 이렇게 되면 뜻을 알지 못하는 웅얼거림까지 정다워지고 의미를 얻게 돼.

한국말에서는 '사람=사랑'이 되고 영어로는 'live=love'가 된다는 것. 이러한 조우(遭遇). 이거야말로 절묘한 언어의 조합이고 다시금 발견이야. 평범하고 일상적인 데서 비범하고 특별한 일을 찾아낸다는 것. 그것은 신나는 일이고 좋은 일이야. 이런 데서 삶의 희열이 나오지.

나만 해도 컴퓨터 타이핑을 할 때 '삶'이라고 칠 것을 잘못 쳐서 '사람'이라고 칠 때가 있어. 그럴 때면 아, '삶=사람'이구나, 그런 생각을 해. 오류가 새로운 생각이나 느낌을 불러오는 것이지.

사람–사랑–바람–사람–파랑–사람–바람–자랑–사랑으로 이어지는 이 연결고리는 너무나도 눈부시도록 아름다워. 길고 긴 강물이야. 무지개 같은 환상이야. 그대로 눈부신 한국어의 미학을 만나게 돼.

I'm Fine

시리도록 푸른 하늘 아래 눈 떠
흠뻑 쏟아지는 햇살이 날 어지럽게 해
한껏 숨이 차오르고 심장은 뛰어
느껴져 너무 쉽게 나 살아 있다는 걸

괜찮아 우리가 아니어도
슬픔이 날 지워도
먹구름은 또 끼고
나 끝없는 꿈속이어도
한없이 구겨지고
날개는 찢겨지고
언젠가 내가 내가 아니게 된달지어도
괜찮아 오직 나만이 나의 구원이잖아
못된 걸음걸이로 절대 죽지 않고 살아
How you doin? I'm fine
내 하늘은 맑아

모든 아픔들이여 Say goodbye
잘 가

차가운 내 심장은
널 부르는 법을 잊었지만
외롭지 않은걸 괜찮아 괜찮아
깜깜한 밤 어둠은
잠든 꿈을 흔들어놓지만
두렵지 않은걸 괜찮아 괜찮아

I'm feeling just fine, fine, fine
이젠 너의 손을 놓을게
I know I'm all mine, mine, mine
Cuz I'm just fine
I'm feeling just fine, fine, fine
더 이상은 슬프지 않을래

I could see the sunshine, shine, shine
Cuz I'm just fine, just fine

I'm just fine 내 아픔 다
이겨낼 수 있어 너 없이 나
I'm just fine 걱정 마
이젠 웃을 수 있고
네 목소린 모두 알아주니까

I'm so fine, you so fine
슬픔과 상처는 모두 다
이미 지나간 추억이 됐으니
웃으며 보내주자고 We so fine
I'm so fine, you so fine
우리들 미래는 기쁨만
가득할 테니 걱정은 접어둔 채

이젠 즐겨 수고했어 We so fine

차가운 내 심장은

널 부르는 법을 잊었지만

외롭지 않은걸 괜찮아 괜찮아

깜깜한 밤 어둠은

잠든 꿈을 흔들어놓지만

두렵지 않은걸 괜찮아 괜찮아

I'm feeling just fine, fine, fine

이젠 너의 손을 놓을게

I know I'm all mine, mine, mine

Cuz I'm just fine

I'm feeling just fine, fine, fine

더 이상은 슬프지 않을래

I could see the sunshine, shine, shine

Cuz I'm just fine, just fine

혹시
너에게도 보일까
이 스산한 달빛이
너에게도 들릴까
이 희미한 메아리가

I'm feeling just fine, fine, fine
혼자서라도 외쳐보겠어
되풀이될 이 악몽에
주문을 걸어
I'm feeling just fine, fine, fine
몇 번이라도 되뇌보겠어
또 다시 쓰러진대도
난 괜찮아

I'm feeling just fine, fine, fine

혼자서라도 외쳐보겠어

되풀이될 이 악몽에

주문을 걸어

I'm feeling just fine, fine, fine

몇 번이라도 되뇌보겠어

또다시 쓰러진대도

난 괜찮아

I'm fine

I'm fine

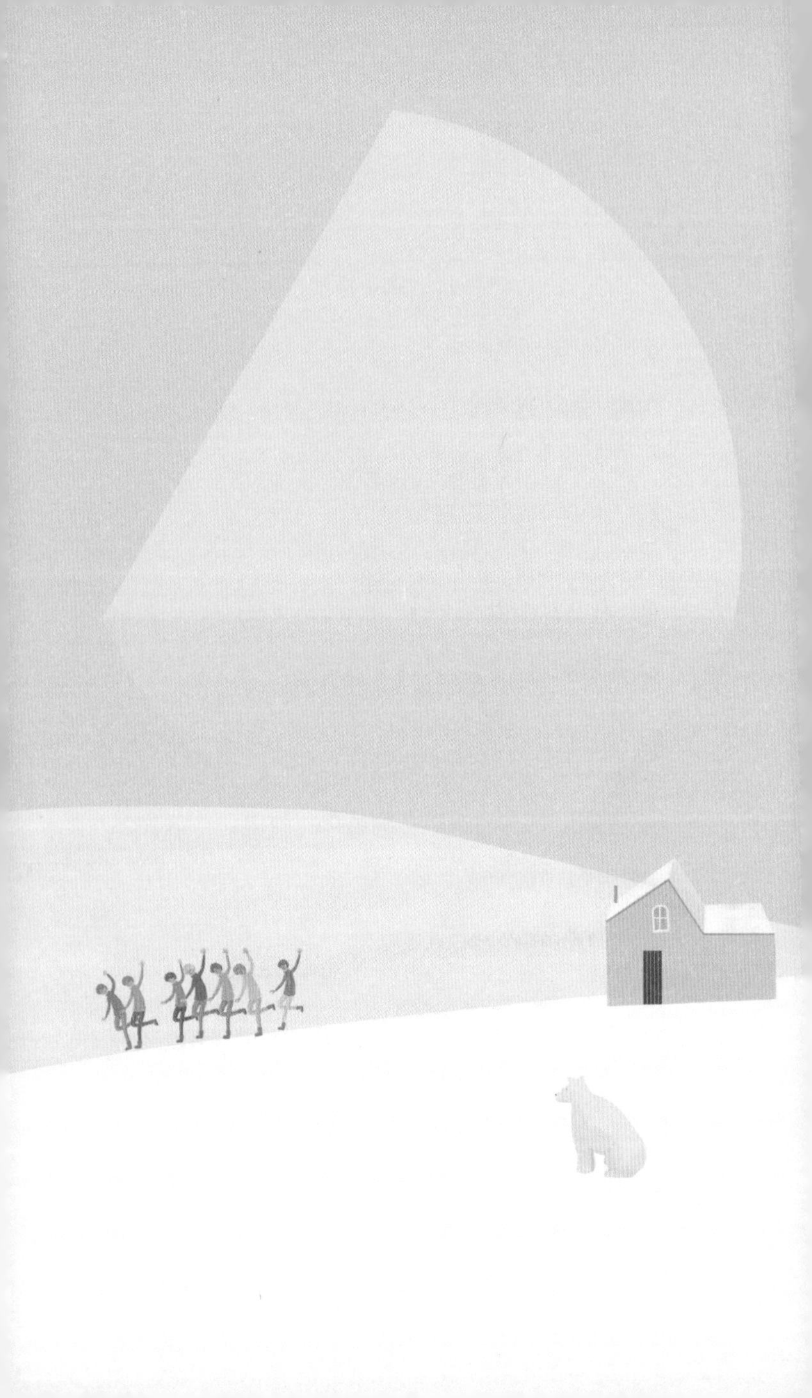

그래, 나도 괜찮아

예원아, 독일의 철학자 하이데거는 “언어는 존재의 집이다”라고 말했지. 정말 언어야말로 인간을 인간답게 하는 기본 요소이며 삶의 가장 소중한 도구야. 의사소통은 물론이고, 언어를 통해서 인간은 충분히 통제되고 지배되기 때문이지.

“사랑하는 마음 내게 있어도/ 사랑한다는 말/ 차마 건네지 못하고 삽니다/ 사랑한다는 그 말 끝까지/ 감당할 수 없기 때문.” 이것은 내가 젊은 시절에 쓴 「사랑하는 마음 내게 있어도」란 시의 구절이야. 이 시를 쓸 때 나는 내가 하는 말이 누군가에게 크게 영향을 준다는 걸 생각하면서 썼어.

그건 그래. 나도 누군가로부터 즐거운 말, 아름다운 말을 들으면 기분이 좋아. 그 반대의 말을 들으면 반대의 느낌이 들고 말아. “I'm Fine.” 난 좋아. 난 괜찮아. 가볍고 기분 좋은 말이야. 이런 말이 세상을 밝고 아름답게 만들지. 긍정의 힘이야. 부정적인 생각을 하면 세상 모든 것이 어둡게 변하고 말아.

자기 신뢰와 자신감과 배포와 소망이 필요해. 용기가 또 필요해. "시리도록 푸른 하늘 아래 눈 떠/ 흠뻑 쏟아지는 햇살이 날 어지럽게 해/ 한껏 숨이 차오르고 심장은 뛰어/ 느껴져 너무 쉽게 나 살아 있다는 걸." 이런 확신을 통해 우리는 더 넓은 세상, 더 밝은 세상으로 들어가야만 해.

그래. 이건 하나의 '주문' 같은 거야. 자기최면 같은 것이기도 하고 말이야. "괜찮아 우리가 아니어도/ 슬픔이 날 지워도/ 먹구름은 또 끼고/ 나 끝없는 꿈속이어도/ 한없이 구겨지고/ 날개는 찢겨지고/ 언젠가 내가 내가 아니게 된달지어도/ 괜찮아 오직 나만이 나의 구원이잖아."

삶의 현실이 어둡고 힘들고 고달플지라도 마음만은 밝고 환하고 가볍게 가질 필요가 있어. 언젠가 음악회에 초대받아서 갔다가 화가 나서 돌아온 일이 있어. 한 시간 넘게 진행된 음악 프로그램이 한결같이 어둡고 비장하고 무거웠던 거야. 음악회를 마치고 나오는 발길이 무거웠어.

어두운 밤에 그리운 건 밝은 아침이고 비 오는 장마철에 그리운 건 맑은 하늘이야. 그걸 보여주는 것이 예술이고 문화라고 생각해. “How you doin? I’m fine/ 내 하늘은 맑아/ 모든 아픔들이여 Say goodbye/ 잘 가.” 그래, 이제는 아픈 기억들에게 말해줘야 해. 이만하면 됐으니 가라. 머뭇거리지 말고 네가 가고 싶은 곳으로 잘 가거라.

계속해서 우리는 말해야만 해. 나는 좋아. 나는 좋아지고 있어. 나는 좋아질 거야. 끝내 그러고 말 거야. 너도 부디 그러기를 바래. “혼자서라도 외쳐보겠어/ 되풀이될 이 악몽에/ 주문을 걸어/ I’m feeling just fine, fine, fine/ 몇 번이라도 되뇌보겠어/ 또다시 쓰러진대도/ 난 괜찮아.”

Answer : Love Myself

눈을 뜬다 어둠 속 나
심장이 뛰는 소리 낯설 때
마주 본다 거울 속 너
겁먹은 눈빛 해묵은 질문

어쩌면 누군가를 사랑하는 것보다
더 어려운 게 나 자신을 사랑하는 거야
솔직히 인정할 건 인정하자
니가 내린 잣대들은 너에게 더 엄격하단 걸
니 삶 속의 굵은 나이테
그 또한 너의 일부 너이기에
이제는 나 자신을 용서하자 버리기엔
우리 인생은 길어 미로 속에선 날 믿어
겨울이 지나면 다시 봄은 오는 거야

차가운 밤의 시선

초라한 날 감추려
몹시 뒤척였지만

저 수많은 별을 맞기 위해 난 떨어졌던가
저 수천 개 찬란한 화살의 과녁은 나 하나

You've shown me I have reasons
I should love myself
내 숨 내 걸어온 길 전부로 답해

어제의 나 오늘의 나 내일의 나
(I'm learning how to love myself)
빠짐없이 남김없이 모두 다 나

정답은 없을지도 몰라
어쩜 이것도 답은 아닌 거야

그저 날 사랑하는 일조차
누구의 허락이 필요했던 거야
난 지금도 나를 또 찾고 있어
But 더는 죽고 싶지가 않은걸
슬프던 me
아프던 me
더 아름다울 美

그래 그 아름다움이
있다고 아는 마음이
나의 사랑으로 가는 길
가장 필요한 나다운 일
지금 날 위한 행보는
바로 날 위한 행동
날 위한 태도
그게 날 위한 행복

I'll show you what I got
두렵진 않아 그건 내 존재니까
Love myself

시작의 처음부터
끝의 마지막까지
해답은 오직 하나

왜 자꾸만 감추려고만 해 니 가면 속으로
내 실수로 생긴 흉터까지 다 내 별자린데

You've shown me I have reasons
I should love myself
내 숨 내 걸어온 길 전부로 답해

내 안에는 여전히

서툰 내가 있지만

You've shown me I have reasons

I should love myself

내 숨 내 걸어온 길 전부로 답해

어제의 나 오늘의 나 내일의 나

(I'm learning how to love myself)

빠짐없이 남김없이 모두 다 나

인생의 해답

문학 강연을 하러 가서 가끔 중학생들을 만날 때가 있어. 사람의 일생 가운데 이 중학생 시절은 아주 중요해. 대개 사람은 중학생 시절에 사춘기를 맞이해. 사춘기란 성인이 되기 위해 거치는 시기이며, 정서적으로 안정되지 않아서 질풍노도기라고도 부르지.

그런데 이 친구들에게 내가 빼먹지 않고 들려주는 이야기가 있어. 그건 자기를 더 사랑하고 아끼고 위로해주고 나아가 용서해주자는 이야기야. 가능하면 칭찬도 해주자는 이야기야. 옛날 어른들은 일일삼성(一日三省)을 하라고 가르쳤어. 하지만 요즘은 아니야. 일일삼찬(一日三讚)을 하자고 말해.

하루에 자기가 한 일 가운데 세 가지를 골라서 칭찬해주자는 말이지. 어떨까. 자기가 자기를 세 번 나무라고 꾸중하는 것보다 세 번 칭찬해주는 게 자기에게 오히려 더 유익하고 좋은 게 아닐까. "칭찬은 고래도 춤추게 한다"라는 말이 있지 않니. 그래, 우리는 서로를 칭찬하고 자기가 자기를 칭찬해주면서 살아야 해.

나는 우리 BTS 친구들의 노랫말 「Answer : Love Myself」를 읽다가 깜짝 놀랐어. 거기 이런 구절이 나오는 거야. “이제는 나 자신을 용서하자 버리기엔/ 우리 인생은 길어 미로 속에선 날 믿어/ 겨울이 지나면 다시 봄은 오는 거야.” 이게 바로 ‘답’인데, 그 구체적 내용이 ‘나 자신을 사랑하기’란 거야. 내가 하고 싶은 말이 여기에 먼저 와 있는 거야.

이런 데서 공감이 오고, 이 공감은 또 감동으로 이어지지. 이 친구들은 충분히 알고 있어. 자기 자신에 대한 인식을 아주 분명히 하고 있는 것이지. “저 수많은 별을 맞기 위해 난 떨어졌던가/ 저 수천 개 찬란한 화살의 과녁은 나 하나.” 그만큼 자기 인식이 분명하고 나 자신의 존재가 소중하고 아름답다는 거야.

“정답은 없을지도 몰라/ 어쩜 이것도 답은 아닌 거야/ 그저 날 사랑하는 일조차/ 누구의 허락이 필요했던 거야/ 난 지금도 나를 또 찾고 있어/ But 더는 죽고 싶지가 않은걸/

슬프던 me/ 아프던 me/ 더 아름다울 美." 참으로 아름답고 사랑스런 젊은이들이야. 자연의 풍경도 바라보는 시각이나 시기에 따라 얼마든지 달라지지. 인생도 마찬가지라고 봐.

발상의 대전환이야. 부정에서 긍정으로, 타율에서 자율로, 암울에서 광명으로. 영어의 'me'를 아름다울 '美'로 읽어내는 저 재치를 좀 봐. 미소가 절로 번져. "나는 나를 사랑하는 방법에 대해 배워가는 중이야(I'm learning how to love myself)." 그래, 이제는 자기가 자기를 더욱 사랑하고 아끼고 칭찬해주는 것이 인생의 답이라고 생각해.

어쩜 이 밤의 표정이
이토록 또 아름다운 건
저 별들도 불빛도 아닌
우리 때문일 거야

3
PART

Intro : Persona

나는 누구인가 평생 물어온 질문
아마 평생 정답은 찾지 못할 그 질문
나란 놈을 고작 말 몇 개로 답할 수 있었다면
신께서 그 수많은 아름다움을 다 만드시진 않았겠지
How you feel? 지금 기분이 어때
사실 난 너무 좋아 근데 조금 불편해
나는 내가 개인지 돼진지 뭔지도 아직 잘 모르겠는데
남들이 와서 진주 목걸일 거네
칵 퉤

예전보단 자주 웃어
소원했던 superhero
이젠 진짜 된 것 같어
근데 갈수록 뭔 말들이 많어
누군 달리라고 누군 멈춰서라 해
얘는 숲을 보라고 걔는 들꽃을 보라 해

내 그림자 나는 망설임이라 쓰고 불렀네
갠 그게 되고 나서 망설인 적이 없었네
무대 아래든 아님 조명 아래든 자꾸 나타나
아지랑이처럼 뜨겁게 자꾸 날 노려보네 (Oh shit)
야 이 짓을 왜 시작한 건지 벌써 잊었냐
넌 그냥 들어주는 누가 있단 게 막 좋았던 거야
가끔은 그냥 싹 다 헛소리 같아
취하면 나오는 거 알지 치기 같아
나 따위가 무슨 music 나 따위가 무슨 truth
나 따위가 무슨 소명 나 따위가 무슨 muse
내가 아는 나의 흠 어쩜 그게 사실 내 전부
세상은 사실 아무 관심 없어 나의 서툼
이제 질리지도 않는 후회들과
매일 밤 징그럽게 뒹굴고
돌릴 길 없는 시간들을 습관처럼 비틀어도
그때마다 날 또 일으켜 세운 것 최초의 질문

내 이름 석 자 그 가장 앞에 와야 할 But

So I'm askin' once again yeah

Who the hell am I?

Tell me all your names baby

Do you wanna die?

Oh do you wanna go?

Do you wanna fly?

Where's your soul?

Where's your dream?

Do you think you're alive?

My name is R

내가 기억하고 사람들이 아는 나

날 토로하기 위해 내가 스스로 만들어낸 나

Yeah 난 날 속여왔을지도 뺑쳐왔을지도

But 부끄럽지 않아 이게 내 영혼의 지도
Dear myself 넌 절대로 너의 온도를 잃지 마
따뜻이도 차갑게도 될 필요 없으니까
가끔은 위선적이어도 위악적이어도
이게 내가 걸어두고 싶은 내 방향의 척도
내가 되고 싶은 나 사람들이 원하는 나
니가 사랑하는 나 또 내가 빚어내는 나
웃고 있는 나 가끔은 울고 있는 나
지금도 매분 매 순간 살아 숨쉬는

Persona
Who the hell am I
I just wanna go I just wanna fly
I just wanna give you
All the voices till I die
I just wanna give you

All the shoulders when you cry

Persona

Who the hell am I

I just wanna go I just wanna fly

I just wanna give you

All the voices till I die

I just wanna give you

All the shoulders when you cry

자신의 구원

이 가사도 BTS 그들의 자화상 같은 노래네. 페르소나. 사전적인 해석은 '등장인물 또는 등장인물의 정체성, 성격, 가치 등'. 누구에게나 자기 자신이 인식하는 자신의 모습이나 본질 같은 것이 있을 거야. 나는 이런 사람이다, 자아 정체감 같은 것.

이 소년도 계속해서 그것을 묻고, 알고 싶어 해. 또 그것에 대해서 스스로 답을 내놓아. 나는 도대체 누구냐? 내가 하고 싶은 일, 꿈꾸는 일은 무엇인가? 내가 가고 있는 길은 어떤 길이며, 내가 가고 싶은 길은 또 어떤 길인가? 그것은 누구에게나 일생을 두고 가져야 할 마음의 과제 같은 것일 거야.

"나는 누구인가 평생 물어온 질문/ 아마 평생 정답은 찾지 못할 그 질문/ 나란 놈을 고작 말 몇 개로 답할 수 있었다면/ 신께서 그 수많은 아름다움을 다 만드시진 않았겠지." 이러한 소박한 질문으로 자신에 대한 탐구를 시작하지만, 금세 소년은 혼란에 빠지고 말아.

"누군 달리라고 누군 멈춰서라 해/ 얘는 숲을 보라고 걔는 들꽃을 보라 해/ 내 그림자 나는 망설임이라 쓰고 불렀네/ 걘 그게 되고 나서 망설인 적이 없었네/ 무대 아래든 아님 조명 아래든 자꾸 나타나/ 아지랑이처럼 뜨겁게 자꾸 날 노려보네 (Oh shit)." 이것은 그대로 자화상이야. 자신의 초상, 자기 자신에 대한 인식. 이런 과정을 통해 인간은 조금씩 성장하게 되지. 그건 월드 스타 BTS라고 해도 예외가 아닌가봐.

끝내 소년은 자신감을 잃고 자괴감에 시달리기도 하지. "나 따위가 무슨 music 나 따위가 무슨 truth/ 나 따위가 무슨 소명 나 따위가 무슨 muse/ 내가 아는 나의 흠 어쩜 그게 사실 내 전부/ 세상은 사실 아무 관심 없어 나의 서툶." 사실 인생은 누구에게나 낯설고 서툰 경기 같은 것일 거야. 특히 사람을 사랑하는 일은 늘 서툴고 망설여지기 마련이지.

하지만 끝내 소년은 자기 자신의 본래 모습을 찾아내.

말하자면 정답을 찾아낸 것이지. "날 토로하기 위해 내가 스스로 만들어낸 나/ Yeah 난 날 속여왔을지도 뻥쳐왔을지도/ But 부끄럽지 않아 이게 내 영혼의 지도/ Dear myself 넌 절대로 너의 온도를 잃지 마/ 따뜻이도 차갑게도 될 필요 없으니까/ 가끔은 위선적이어도 위악적이어도/ 이게 내가 걸어두고 싶은 내 방향의 척도/ 내가 되고 싶은 나, 사람들이 원하는 나/ 니가 사랑하는 나 또 내가 빚어내는 나/ 웃고 있는 나 가끔은 울고 있는 나/ 지금도 매분 매 순간 살아 숨쉬는."

인용이 길었지? 그러나 중간에 자를 수가 없었어. 그 모두가 소년의 해답이었으니까. 오늘날 우리는 너무나 빠르게 살아. 너무도 많은 자극 앞에 노출되어 있고 타인과의 비교가 심해. 유행의 흐름 또한 거세어. 그래서 더 많은 스트레스를 받으며 힘들어해. 이런 노래를 통해 스스로 구원을 얻었으면 해. 내가 누구인가를 아는 일은 누구에게나 한평생을 두고 지속해야 하는 과업일 거야.

소우주(Mikrokosmos)

반짝이는 별빛들
깜빡이는 불 켜진 건물
우린 빛나고 있네
각자의 방 각자의 별에서

어떤 빛은 야망
어떤 빛은 방황
사람들의 불빛들
모두 소중한 하나

어두운 밤 (외로워 마)
별처럼 다 (우린 빛나)
사라지지 마
큰 존재니까
Let us shine

어쩜 이 밤의 표정이 이토록 또 아름다운 건
저 별들도 불빛도 아닌 우리 때문일 거야

You got me 난 너를 보며 꿈을 꿔
I got you 칠흑 같던 밤들 속
서로가 본 서로의 빛
같은 말을 하고 있었던 거야 우린

가장 깊은 밤에 더 빛나는 별빛
가장 깊은 밤에 더 빛나는 별빛
밤이 깊을수록 더 빛나는 별빛

한 사람에 하나의 역사
한 사람에 하나의 별
70억 개의 빛으로 빛나는
70억 가지의 world

70억 가지의 삶 도시의 야경은
어쩌면 또 다른 도시의 밤
각자만의 꿈 Let us shine
넌 누구보다 밝게 빛나
One

어쩜 이 밤의 표정이 이토록 또 아름다운 건
저 어둠도 달빛도 아닌 우리 때문일 거야

You got me 난 너를 보며 꿈을 꿔
I got you 칠흑 같던 밤들 속
서로가 본 서로의 빛
같은 말을 하고 있었던 거야 우린

가장 깊은 밤에 더 빛나는 별빛
가장 깊은 밤에 더 빛나는 별빛

밤이 깊을수록 더 빛나는 별빛

도시의 불, 이 도시의 별

어릴 적 올려본 밤하늘을 난 떠올려

사람이란 불, 사람이란 별로

가득한 바로 이곳에서

We shinin'

You got me 난 너를 보며 숨을 쉬어

I got you 칠흑 같던 밤들 속에

Shine, dream, smile

Oh let us light up the night

우린 우리대로 빛나

Shine, dream, smile

Oh let us light up the night

우리 그 자체로 빛나

Tonight

Na na na na na na

Na na na na na na na

Na na na na na na

Na na na na na na na na

Na na na na na na

Na na na na na na na

Na na na na na na

Na na na na na na na na

인간이란 소우주

“나뭇잎 하나가// 아무 기척도 없이 어깨에/ 툭 내려앉는다// 내 몸에 우주가 손을 얹었다/ 너무 가볍다.” 이 시는 내가 오랫동안 친하게 사귀면서 함께 글을 써온 글벗 이성선 시인의 「미시령 노을」이란 작품이야.

신비하지? 어깨 위에 내려앉은 나뭇잎 한 장을 우주로 본 거야. 그 우주가 너무나 가볍다는 거야. ‘나뭇잎=우주.’ 그러니까 가벼운 것이지. 이성선 시인은 생전에 말하기도 했어. 자기가 강원도 설악산에서 마시는 물이 인도나 티베트의 높은 산 눈 녹은 물과 연결되어 있다고.

생각하기 나름이야. 하나의 상상이지. 이 상상이 우리를 싱싱하게 하고 씩씩하게 만들지. 주름 잡힌 일상, 발이 묶인 현실로부터 일탈을 꿈꾸면서 새의 날개를 달고 멀리까지 날아가게 만들지.

비록 우리는 오늘도 도시에 묶이고 건물과 각자의 방에 갇힌 존재라 해도 스스로 빛을 내는 별이므로 “어떤 빛은 야망/ 어떤 빛은 방황/ 사람들의 불빛들/ 모두 소중한 하나”

라는 거야. 이 얼마나 당당하면서도 아름다운 상상이겠니!

그러기에 '어두운 밤'이지만 외로워하지 말아야 하고 '별처럼' 우리는 모두 빛나도록 해야 하는 것이지. 어찌 스스로 빛나는 존재가 사라질 수 있겠니? 구름에 가려 안 보인다 해도 그것은 잠시일 뿐 다시금 반짝이게 되어 있어.

가끔 생각하게 돼. 밤하늘에 그렇게 반짝이던 많은 별들이 왜 낮에는 하나도 보이지 않는 걸까? 그건 너무나도 단순한 문제야. 낮의 하늘이 밝기 때문에 그렇다는 것. 우리네 인생도 마찬가지야.

"가장 깊은 밤에 더 빛나는 별빛"이 있다는 것과 "밤이 깊을수록 더 빛나는 별빛"이라는 생각은 상쾌한 발견이고 탁견이야. 나아가 "어쩜 이 밤의 표정이 이토록 또 아름다운 건/ 저 별들도 불빛도 아닌 우리 때문일 거"라는 믿음은 참 훌륭한 자각이야.

지구 위에 70억 인구가 살고 있다면 70억 개의 촛불이 빛나는 것이고, 그 촛불은 또 70억 개의 별빛이 되는 것이고, 70억 개의 역사가 쓰여지는 것이고, 나아가 70억 개의 우주가 열리는 것이지.

나 한 사람이 그대로 하나의 우주라는 자각은 지극히 아름다운 자존감의 근본이 되어주지. 생명 존중, 인간의 존엄을 넘어 거룩함까지 깨닫게 해주지. 우리의 BTS가 부르는 노래가 이렇게 철학적이라는 것을 노래만 듣고서는 미처 몰랐을 거야. 한글로 된 가사를 읽고 영어로 된 가사를 또 들여다볼 때 그렇구나, 알게 되는 일이야.

"Shine, dream, smile/ Oh let us light up the night." "빛나, 꿈꿔, 미소 지어. 우리가 (스스로) 밤을 환하게 빛낼 수 있게 해주자." 나에겐 네가 밤하늘에 찬란하게 빛나는 별과 같은 사람이야.

Make It Right

내가 날 눈치챘던 순간
떠나야만 했어
난 찾아내야 했어
All day all night

사막과 바다들을 건너
넓고 넓은 세계를
헤매어 다녔어
Baby I

I could make it better
I could hold you tighter
그 먼 길 위에서
Oh you're the light

초대받지 못한

환영받지 못한

나를 알아줬던 단 한 사람

끝도 보이지 않던 영원의 밤

내게 아침을 선물한 건 너야

이제 그 손 내가 잡아도 될까

Oh oh

I can make it right

All right

All right

Oh I can make it right

All right

All right

Oh I can make it right

이 세상 속에 영웅이 된 나
나를 찾는 큰 환호와
내 손, 트로피와 금빛 마이크
All day, everywhere
But 모든 게 너에게 닿기 위함인걸
내 여정의 답인걸
널 찾기 위해 노래해
Baby to you

전보다 조금 더 커진 키에
좀 더 단단해진 목소리에
모든 건 네게 돌아가기 위해
이제 너라는 지도를 활짝 펼칠게
My rehab
날 봐 왜 못 알아봐
남들의 아우성 따위 나 듣고 싶지 않아

너의 향기는 여전히 나를 꿰뚫어 무너뜨려

되돌아가자 그때로

Baby I know

I can make it better

I can hold you tighter

그 모든 길은 널

향한 거야

다 소용없었어

너 아닌 다른 건

그때처럼 날 어루만져줘

끝도 보이지 않던 영원의 밤

내게 아침을 선물한 건 너야

이제 그 손 내가 잡아도 될까

Oh oh

I can make it right

All right

All right

Oh I can make it right

All right

All right

Oh I can make it right

여전히 아름다운 너

그날의 그때처럼 말없이 그냥 날 안아줘

지옥에서 내가 살아남은 건

날 위했던 게 아닌 되려 너를 위한 거란 걸

안다면 주저 말고 please save my life

너 없이 헤쳐왔던 사막 위는 목말라

그러니 어서 빨리 날 잡아줘

너 없는 바다는 결국 사막과 같을 거란 걸 알아

All right

I can make it better

I can hold you tighter

Oh I can make it right

다 소용없었어

너 아닌 다른 건

Oh I can make it right

All right

All right

Oh I can make it right

7

초심으로 돌아가는 겸손

또다시 자화상이고 자기 고백이 강한 작품이네. 여러 번 말했지. 시라는 문장은 처음부터 자기중심적이고 자기 고백이고 호소라는 것. 그래, 이 노래 가사도 처음엔 시로 쓰여진 문장. 자기 자신의 처지와 감정을 보여주고 있어.

하지만 이 노래 가사는 시작부터 나약하지 않고 다부진 데가 있어. 자기를 솔직하게 드러내면서 강하게 앞으로 밀고 나아가는 힘을 느껴. 'Make It Right' 바로 잡을게. 짧지만 분명한 언사로 표출한 제목부터 그래.

망설임이 별로 없어. 무언가 구부리고 안으로 간직하면서 숨기려고도 하지 않아. 직설적이야. "내가 날 눈치챘던 순간/ 떠나야만 했어/ 난 찾아내야 했어/ All day all night// 사막과 바다들을 건너/ 넓고 넓은 세계를/ 헤매어 다녔어/ Baby I."

자아의 눈뜸이지. 프랑스의 상징주의 시인 랭보가 열여섯 살의 어린 나이로 「고아들의 새해 선물」이란 시를 들고 파리 시단으로 직진하듯이 말야. 랭보에겐 천재성이 돋보이는 구석이 있어. 검은 머리카락 휘날리며 새하얀 이마 햇빛에 번뜩이며 유리 구두를 신고 세계의 중심으로 향했겠지.

BTS도 마찬가지야. 그들이라고 처음부터 오늘날의 성공과 영광을 정확하게 짚었겠어. 다만 최선을 다해서 앞으로 나아갔겠지. 세계인들과 겨루어 앞잡이가 된다는 것. 그 영광. 그 고달픔. 그 어지러움과 막막함. 그들 역시 스스로의 일들이 겁이 나고 힘겨웠겠지.

"I could make it better/ I could hold you tighter(난 더 나은 상황을 만들 수 있었는데/ 너를 더 꽉 잡았어야 했는데)." "그 먼 길 위에서/ Oh you're the light(너는 빛이야)." "초대받지 못한/ 환영받지 못한/ 나를 알아줬던 단 한 사람."

여기서도 사랑의 힘은 막강하게 발휘돼. 사랑이야말로 정신의 양식이고 에너지 그것이지. 인간은 한순간도 사랑의 도움 없이 살아 있기 힘들어. 사랑이 우리를 살아 있게 해. 힘든 가운데서도 결코 쓰러지지 않게 하고 먼 길을 떠나게 해.

이제 소년의 처지는 많이 바뀌었어. 주변인(周邊人)에서 중심의 사람이 된 것이지. "이 세상 속에 영웅이 된 나/ 나를 찾는 큰 환호와/ 내 손, 트로피와 금빛 마이크/ All day, everywhere/ But 모든 게 너에게 닿기 위함인걸/ 내 여정의 답인걸/ 널 찾기 위해 노래해/ Baby to you// 전보다 조금 더 커진 키에/ 더 단단해진 목소리에/ 모든 건 네게 돌아가기 위해/ 이제 너라는 지도를 활짝 펼칠게/ My rehab/ 날 봐 왜 못 알아봐/ 남들의 아우성 따위 나 듣고 싶지 않아/ 너의 향기는 여전히 나를 꿰뚫어 무너뜨려/ 되돌아가자 그때로."

성공한 사람의 겸손과 초심(初心)을 지키려는 자세를 읽게 돼. 그러면서도 원하는 건 사랑의 힘이고 축복이야. "그 모든 길은 널/ 향한 거야." "너 없이 헤쳐왔던 사막 위는 목말라/ 그러니 어서 빨리 날 잡아줘/ 너 없는 바다는 결국 사막과 같을 거란 걸 알아."

00:00 (Zero O'Clock)

그런 날 있잖아
이유 없이 슬픈 날
몸은 무겁고
나 빼곤 모두 다
바쁘고 치열해 보이는 날
발걸음이 떨어지질 않아
벌써 늦은 것 같은데 말야
온 세상이 얄밉네

Yeah 곳곳에 덜컥거리는 과속방지턱
맘은 구겨지고 말은 자꾸 없어져
도대체 왜 나 열심히 뛰었는데
오 내게 왜

집에 와
침대에 누워

생각해봐

내 잘못이었을까

어지러운 밤

문득 시겔 봐

곧 12시

뭔가 달라질까

그런 건 아닐 거야

그래도 이 하루가

끝나잖아

초침과

분침이 겹칠 때

세상은 아주 잠깐 숨을 참아

Zero O'Clock

And you gonna be happy

And you gonna be happy

막 내려앉은 저 눈처럼

숨을 쉬자 처음처럼

And you gonna be happy

And you gonna be happy

Turn this all around

모든 게 새로운

Zero O'Clock

조금씩 박자가 미끄러져

쉬운 표정이 안 지어져

익숙한 가사 자꾸 잊어

내 맘 같은 게 뭐 하나 없어

그래 다 지나간 일들이야

혼잣말해도 참 쉽지 않아

Is it my fault?

Is it my wrong?
답이 없는
나의 메아리만

집에 와
침대에 누워
생각해봐
내 잘못이었을까
어지러운 밤
문득 시겔 봐
곧 12시

뭔가 달라질까
그런 건 아닐 거야
그래도 이 하루가
끝나잖아

초침과

분침이 겹칠 때

세상은 아주 잠깐 숨을 참아

Zero O'Clock

And you gonna be happy

And you gonna be happy

막 내려앉은 저 눈처럼

숨을 쉬자 처음처럼

And you gonna be happy

And you gonna be happy

Turn this all around

모든 게 새로운

Zero O'Clock

두 손 모아

기도하네

내일은 좀

더 웃기를

For me

좀 낫기를

For me

이 노래가

끝이 나면

새 노래가

시작되리

좀 더 행복하기를 yeah

And you gonna be happy

And you gonna be happy

아주 잠깐 숨을 참고

오늘도 나를 토닥여

And you gonna be happy

And you gonna be happy

Turn this all around

모든 게 새로운

Zero O'Clock

종점이 바로 시작

이 노래 역시 젊은 세대의 하루하루 순간순간 삶의 실상을 담은 노래네. 깜냥껏 최선을 다해서 살았지만 저녁 시간이 되면 어김없이 무너지는 자존감. 그렇지. 낮에 밖에서 다른 사람들과 비비대기치면서 살 때는 그런대로 자존심을 세우며 살기도 했지만, 집에 들어와 혼자가 되었을 때 어김없이 찌그러들고 마는 자존감이 문제야.

자존감은 자존심과는 달라. 자존심이 밖으로 나타나는 자기 존중의 마음이라면 자존감은 안으로 느껴지는 자기 존중의 마음이야. 그러므로 자기 자신을 안쓰럽게 보아주고 여유를 주고 보듬어주고 나아가 용서해주기까지 해야만 해. 내가 나를 사랑해주지 않고서 누가 나를 사랑해주겠어.

"곳곳에 덜컥거리는 과속방지턱/ 맘은 구겨지고 말은 자꾸 없어져/ 도대체 왜 나 열심히 뛰었는데/ 오 내게 왜" 이런 일이 일어났는지 몰라 마음이 답답하고 구겨지는 시간. 문득 시계를 보는 거야. 그때 딱 밤 열두시인 게야. 자정이지. 시침과 분침과 초침이 딱 한자리에 모이는 시간. 마치 개기월식이나 개기일식 같은 시간이지.

밤 열두시는 하루의 시간이 죽는 시간이지. 그런데 말야. 그 시간은 또 새로운 하루가 시작되는 탄생의 시간이기도 해. 0시, 죽음과 탄생이 한 몸에 있는 시간. 이 얼마나 특별하고 새롭고 멋진 시간이야. 이러한 시간을 우리는 하루에 한 차례씩 겪지만 그 시간엔 잠을 자느라 그걸 모르고 지나갈 뿐이지.

그 시간에 우리의 소년은 새로운 꿈을 꿔. 새로운 출발을 다짐해. "And you gonna be happy/ And you gonna be happy." 넌 행복해질 거야. 그럼 넌 분명 행복해질 것이고말고. 이건 하나의 주문 같은 것이고 최면 같은 것이야. 드디어 자신을 타이르기도 해. "막 내려앉은 저 눈처럼/ 숨을 쉬자 처음처럼." 이 얼마나 지혜로운 소년인가.

이러한 노래를 통해서 많은 가슴들이 위로를 받지. 아, 세상에는 나처럼 지친 사람도 있고 힘들게 어렵게 사는 사람도 있구나. 하나의 동병상련(同病相憐) 같은 것이지. 이것도 어찌 보면 탈출구일지 몰라. 하나의 지혜가 될지도 모르고. 이제는 소년에게 그 답을 얻어 우리도 하루하루 순간순간 씩씩하게 살아내야 한다고 생각해.

여기서 나는 또 너에게 나의 시 한 편을 읽어주고 싶어. 그것은 「선물」이라는 시야. "하늘 아래 내가 받은/ 가장 커다란 선물은/ 오늘입니다// 오늘 받은 선물 가운데서도/ 가장 아름다운 선물은/ 당신입니다// 당신 나지막한 목소리와/ 웃는 얼굴, 콧노래 한 구절이면/ 한 아름 바다를 안은 듯한 기쁨이겠습니다."

친구

유난히도 반짝였던 서울
처음 보는 또 다른 세상
땀에 잔뜩 밴 채 만난 넌
뭔가 이상했었던 아이

난 달에서 넌 별에서
우리 대화는 숙제 같았지
하루는 베프, 하루는 웬수
I just wanna understand

Hello my alien
우린 서로의 mystery
그래서 더 특별한 걸까

언젠가 이 함성 멎을 때 stay hey
내 옆에 함께 있어줘

영원히 계속 이곳에 stay hey
네 작은 새끼손가락처럼

일곱 번의 여름과 추운 겨울보다
오래
수많은 약속과 추억들보다
오래

우리 교복 차림이 기억나
우리 추억 한 편 한 편 영화
만두 사건은 코미디 영화 yeah yeah

하교 버스를 채운 속 얘기들
이젠 함께 drive를 나가
한결같애, 그때의 우리들
"Hey 지민, 오늘"

내 방에 드림캐쳐

7년간의 history

그래서 더 특별한 걸까

언젠가 이 함성 멎을 때 stay hey

내 옆에 함께 있어줘

영원히 계속 이곳에 stay hey

네 작은 새끼손가락처럼

일곱 번의 여름과 추운 겨울보다

오래

수많은 약속과 추억들보다

오래

네 새끼손가락

처럼 우린 여전해

네 모든 걸 알아
서로 믿어야만 돼
잊지 마
고맙단 그 뻔한 말보단
너와 나
내일은 정말 싸우지 않기로 해

언젠가 이 함성 멎을 때 stay hey
You are my soulmate
영원히 계속 이곳에 stay hey
You are my soulmate

일곱 번의 여름과 추운 겨울보다
오래
수많은 약속과 추억들보다
오래

언젠가 이 함성 멎을 때 stay hey

You are my soulmate

영원히 계속 이곳에 stay hey

You are my soulmate

일곱 번의 여름과 추운 겨울보다

오래

수많은 약속과 추억들보다

오래

메아리처럼 아우성처럼

친구, 참 좋은 말이야. 가슴이 빼근해지도록 좋은 말이야. 친구, 그 말을 가슴에 안으면 마치 밀물이 들어와 벙벙해진 바다 포구와 같아. 그 가득함. 그 충만함. "좋은 친구는 한 명도 많다." 서양 사람들의 말이래. "친구, 그는 나의 슬픔을 대신 지고 가는 자다." 이건 인디언들의 말이래.

나에게 과연 그런 친구가 있었을까. 한때는 있다고 믿고 살았던 때도 있었겠지. 그래, 정말 나에게도 그런 시절이 있었고 그런 친구가 있기도 했지. 그러나 지금은 너무나도 쓸쓸해. 도무지 함께 이야기할 사람이 없어. 그러니까 나의 입만 있고 나의 말을 들어줄 귀가 없는 것이지.

이 얼마나 답답하고 쓸쓸한 일이겠니? 그런데 예원이 너에겐 친구가 많은 것 같아. 이건 많이 부러운 일이지. 하지만 그 친구들도 처음엔 낯선 사람들이었겠지.

"유난히도 반짝였던 서울/ 처음 보는 또 다른 세상/ 땀에 잔뜩 밴 채 만난 넌/ 뭔가 이상했었던 아이." 노래 속의 소년이 자기 친구를 처음 만났을 때의 추억이야. "난 달에서 넌 별에서/ 우리 대화는 숙제 같았지/ 하루는 베프, 하루는 웬수/ I just wanna understand." 하지만 그냥 나는 너를 이해하고 싶었다는 게 그 소년의 고백이야.

야, 이 외계인아. 미스터리처럼 말 안 통하는 친구야. 그래서 더 특별하고 좋았다는 거야. 안 좋은 게 더 특별하고 좋았다는 건 뭘까. 우리의 영혼 깊숙이 서로에게 끌림이 있었다는 말일 거야. 분명히 말로는 표현할 수 없는 그 어떠한 신비한 자력(磁力) 같은 힘 말이야.

두 사람이 함께 지내오는 동안 갖가지 일이 있었겠지. 그래. "일곱 번의 여름과 추운 겨울보다/ 오래/ 수많은 약속과 추억들보다/ 오래" 여러 가지 일들이 있었겠지. 구체적으로 그것은 '교복 차림'으로, '한 편 한 편의 영화'로, '만두 사건'으로 추억의 창고에 쌓이게 되었다고 그래.

아마도 그 친구 이름이 '지민'인가봐. 부르기만 해도 가슴이 부풀고 듣기만 해도 얼굴이 밝아지는 이름. 친구란 바로 그런 것이지. 내가 아닌 또 하나의 나. 옛사람들은 이런 친구를 지음(知音)이라고 불렀어. 내 마음을 나처럼 알아주는 사람이란 뜻이지. 예원이 너 같은 젊은이들은 '소울메이트'라고 부르는가봐.

소울메이트, 영혼의 동반자. 요즘같이 힘겨운 세상에 이런 친구 한 사람쯤 있다면 그것은 얼마나 좋은 일이겠니. 나도 이쯤에서 메아리처럼 아우성처럼 멀리서 다가오는 누군가의 영혼의 소리를 들어. "네 새끼손가락/ 처럼 우린 여전해/ 네 모든 걸 알아/ 서로 믿어야만 돼/ 잊지 마/ 고맙단 그 뻔한 말보단/ 너와 나/ 내일은 정말 싸우지 않기로 해."

Moon

달과 지구는 언제부터
이렇게 함께했던 건지
존재로도 빛나는 너
그 곁을 나 지켜도 될지

너는 나의 지구
네게 난 just a moon
네 맘을 밝혀주는 너의 작은 별
너는 나의 지구
And all I see is you
이렇게 그저 널 바라볼 뿐인걸

모두들 내가 아름답다 하지만
내 바다는 온통 까만걸
꽃들이 피고 하늘이 새파란 별
정말 아름다운 건 너야

문득 생각해 너도 날 지금 보고 있을까
내 아픈 상처까지 네게 다 들키진 않을까
네 주위를 맴돌게
네 곁에 있어줄게
네 빛이 되어줄게
All for you

난 이름조차 없었어
내가 널 만나기 전까지
넌 내게 사랑을 줬고
이제는 내 이유가 됐어

너는 나의 지구
네게 난 just a moon
네 맘을 밝혀주는 너의 작은 별
너는 나의 지구

And all I see is you

이렇게 그저 널 바라볼 뿐인걸

In the crescent moon night

두 눈을 감아도 넌 파랗게 내게 밀려와

In the full moon night

두 눈을 뜨고서 널 담아도 괜찮은 걸까

문득 생각해 너도 날 지금 보고 있을까

내 아픈 상처까지 네게 다 들키진 않을까

네 주위를 맴돌게

네 곁에 있어줄게

네 빛이 되어줄게

All for you

환한 낮에도

까만 밤에도

내 곁을 지켜주는 너

슬플 때에도

아플 때에도

그저 날 비추는 너

어떤 말보다

고맙단 말보다

난 너의 곁에 있을게

캄캄한 밤에

훨씬 더 환하게

너의 곁을 지킬게

문득 생각해 너는 널 정말 알고 있을까

네 존재가 얼마나 예쁜지 너 알고 있을까

네 주위를 맴돌게

네 곁에 있어줄게

네 빛이 되어줄게

All for you

황홀한 사랑 고백

사모곡(思慕曲)이네. 이 또한 의인법. 사람이 아닌 대상을 사람처럼 생각하고 쓰는 글. 지구 주변을 돌고 있는 유일한 위성인 달의 입을 빌려 들어보는 사랑 노래야. 아니야. 달과 지구의 관계를 빗대어 사랑하는 두 사람의 마음을 나타낸 노래네.

봐, 이런 대목이 그렇다는 걸 짐작하게 해. "달과 지구는 언제부터/ 이렇게 함께했던 건지/ 존재로도 빛나는 너/ 그 곁을 나 지켜도 될지." '해바라기'와 '달맞이'란 꽃 이름이 있지만, 여기서 달은 오로지 지구만 바라보는 '지구바라기'야.

지구바라기. "달은 지구바라기다!" 와, 그 말 처음 해봤는데 참 예쁘다. 사랑스럽다. 이런 달의 호소를 들어봐. "너는 나의 지구/ 네게 난 just a moon/ 네 맘을 밝혀주는 너의 작은 별/ 너는 나의 지구/ And all I see is you/ 이렇게 그저 널 바라볼 뿐인걸."

지구가 바라볼 때 아주 예쁘고 환하게 보이지만, 실은 그렇지 않다고 달은 스스로 고백해. 달의 바다는 온통 까

맞기만 할 뿐이고 오히려 아름다운 건 "꽃들이 피고 하늘이 새파란 별"인 지구라는 거지. 이렇게 우리는 상대방을 서로 다르게 바라보기도 해.

하지만 사랑이란 상대방의 좋은 점, 아름다운 점을 발견해주고 그것을 칭찬해주고 사랑해주고 아껴주는 것일 거야. 그러면서 상대방의 마음을 궁금하게 생각하는 것이지. "문득 생각해 너도 날 지금 보고 있을까/ 내 아픈 상처까지 네게 다 들키진 않을까/ 네 주위를 맴돌게/ 네 곁에 있어줄게/ 네 빛이 되어줄게/ All for you."

예전에 내가 예뻐하고 매우 사랑하는 한 아이와 이야기한 적이 있단다. "아직도 내가 너에게 필요한 사람이니?" 그랬더니 그 아이가 말하는 거야. "우리 오래 만나요." 여기서 우리 오래 만나자는 말이 결국은 사랑한다는 말의 다른 표현이 아닐까 싶어.

예원아, 나도 널 오래 만나고 싶고, 또 오랫동안 너에게 필요한 사람이 되고 싶어. 그것이 진정 사랑의 이유가 아닐까 싶어. "난 이름조차 없었어/ 내가 널 만나기 전까진/ 넌 내게 사랑을 줬고/ 이제는 내 이유가 됐어." 와, 이건 황홀하기까지 한 사랑의 고백이야.

나는 너 때문에 산다. 해가 뜨고 달이 뜨는 것도 오로지 그 사람을 위해서 뜨고 새우는 것, 꽃피는 것만 봐도 그 사람 생각이 나서 눈물 고이던 시절이 누군들 없었을까. "너는 나의 지구/ 네게 난 just a moon/ 네 맘을 밝혀주는 너의 작은 별/ 너는 나의 지구/ And all I see is you/ 이렇게 그저 널 바라볼 뿐인걸."

예원아, 실은 나도 네 마음 주변을 돌고 도는 하나의 달과 같은 존재야. 언제까지 이 공전과 자전이 계속될지 모르지만 말이야. 비록 그 자전과 공전이 멈춰지는 날이 있다 해도 그 기억만은 아주 예쁘게 환하게 남아 있기를 바라. 그러면 끝으로 달님의 황홀한 고백을 좀 더 들어봐.

"환한 낮에도/ 까만 밤에도/ 내 곁을 지켜주는 너/ 슬플 때에도/ 아플 때에도/ 그저 날 비추는 너// 어떤 말보다/ 고맙단 말보다/ 난 너의 곁에 있을게/ 캄캄한 밤에/ 훨씬 더 환하게/ 너의 곁을 지킬게."

We are Bulletproof : the Eternal

가진 게 꿈밖에 없었네
눈 뜨면 뿌연 아침뿐
밤새 춤을 추며 노래해
그 끝이 없던 악보들

Ay 우린 호기롭게 shout
'다 던져봐'
세상과 첫 싸움
Don't wanna die
But so much pain
Too much cryin'
So 무뎌지는 칼날

Oh I
We were only seven
I

But we have you all now

일곱의 겨울과 봄 뒤에

이렇게 맞잡은 손끝에

Oh I

Yeah we got to heaven

내게 돌을 던져

우린 겁이 없어 anymore

We are we are together bulletproof

(Yeah we have you have you)

또 겨울이 와도

누가 날 막아도 걸어가

We are we are forever bulletproof

(Yeah we got to heaven)

We are bullet bullet bulletproof

부정적인 시선에 맞서 우린 해냈구

나쁜 기억도 많은 시련도

다 호기롭게 우린 막아냈지 bulletproof

늘 생각해

아직 꿈속인 건 아닐까

길었던 겨울

끝에 온 게 진짜 봄일까

모두 비웃던

한땐 부끄럽던 이름

이건 쇠로 된 증명

"Bullet-proof"

Oh I

We were only seven

I

But we have you all now

일곱의 겨울과 봄 뒤에

이렇게 맞잡은 손끝에

Oh I

Yeah we got to heaven

내게 돌을 던져

우린 겁이 없어 anymore

We are we are together bulletproof

(Yeah we have you have you)

또 겨울이 와도

누가 날 막아도 걸어가

We are we are forever bulletproof

(Yeah we got to heaven)

Oh Oh

다신 멈추지 않을래

여기 우리가 함께이기에

Tell me your every story

Tell me why you don't stop this

Tell me why you still walkin'

Walkin' with us

(Yeah we got to heaven)

내게 돌을 던져

우린 겁이 없어 anymore

We are we are together bulletproof

(Yeah we have you have you)

또 겨울이 와도

누가 날 막아도 걸어가

We are we are forever bulletproof

(Yeah we got to heaven)

(Yeah we have you have you)

Yeah we are not seven, with you

Yeah we are not seven, with you

Yeah we are not seven

With you

더 많은 일곱과 함께

처음 출판사로부터 가사 원고가 왔을 때 나는 어리둥절했어. 너무 많은 영어가 한글과 섞여 있었거든. 그건 제목부터 그랬어. 'We are Bulletproof : the Eternal.' 'Bulletproof'란 말이 무얼까? 네 해석을 보면 그 말은 '방탄조끼, 할 때 쓰는 방탄'이라는 뜻이었어. 그리고 한때 방탄소년단의 영어 이름이 'Bulletproof Boy Scout'였고.

거기서부터 이야기는 조금씩 풀렸어. 아, 그렇구나. 이 노래는 자신들의 이야기구나. 그냥 이야기도 아니고 자전적인 이야기라는 걸 알았어. 처음부터 노래는 호기롭게 시작해. 젊은이의 패기지. "가진 게 꿈밖에 없었네/ 눈 뜨면 뿌연 아침뿐/ 밤새 춤을 추며 노래해/ 그 끝이 없던 악보들." 그건 누구의 젊음이나 마찬가지일 거야.

문제는 거기서부터 용기를 갖느냐 아니냐이고 나아가 중간에 포기하느냐 계속하느냐일 거야. 세상과의 싸움이고 나아가 나 자신과의 싸움이지. 멈춰서는 안 되고 끝내서는 안 돼. 너무나도 많은 고통이 따르고 너무나도 많은 울음을 만나고 끝내 마음의 칼날은 무뎌지기도 하겠지. 여기서 소년은 외쳐. 죽고 싶지 않아. "Don't wanna die."

결코, 혼자 힘으로는 해내기 어려운 일. 그 승리. 그 힘의 근원에는 '일곱'이라는 숫자가 있어. 행운의 수, 럭키 세븐이란 말도 있지만, 우리가 알다시피 이 일곱은 방탄소년단의 멤버 수를 말하지. 리더인 RM을 비롯해서 진, 슈가, 제이홉, 지민, 뷔, 정국. 이 일곱의 이름은 그야말로 자랑스런 꽃송이 같고 보석 같은 이름이지.

이 일곱의 젊은이들이 세계를 헤엄치고 다녀. 하지만 이 일곱은 단수의 일곱이 아니야. 더 많은 복수의 일곱이지. 왜? 팬들이 생긴 것이지. 수없이 많은 팬들이 그들을 에워싸고 있는 것이지. 반대로 그들 일곱이 팔을 벌려 세계의 모든 팬을 감싸 안고 있는 것이지. 그들은 목청껏 외쳐. "우린 원래 그저 일곱뿐이었지만 이젠 여러분 모두가 있어요."

"일곱의 겨울과 봄 뒤에/ 이렇게 맞잡은 손끝에/ Oh I/ Yeah we got to heaven." 그래. 그들은 드디어 천국에 도착

한 거야. 그러기에 그들은 누군가 돌을 던져도 겁이 안 나고 "또 겨울이 와도/ 누가 날 막아도 걸어가"는 용기백배한 사람들이 된 것이지.

우리 끝으로 방탄소년단, 우리의 자랑스런 젊은 영혼들의 노래에 귀를 기울여보자. 우리의 심장도 콩당콩당 뛰겠지. 방탄소년단, 그들은 이제 더는 외로워하지 않아도 좋을 거야. 세계적으로 인기 있는, 유명한 사람들이 되어서가 아니야. 자기가 되고 싶은 사람들이 되었기 때문이지. 그것을 나는 진정한 성공이라고 생각하고 정말로의 행복이라고 믿어. 방탄, 그들의 영광이 시들지 않기를, 영원히 행복해지기를 빌어.

Life Goes On

어느 날 세상이 멈췄어
아무런 예고도 하나 없이
봄은 기다림을 몰라서
눈치 없이 와버렸어
발자국이 지워진 거리
여기 넘어져 있는 나
혼자 가네 시간이
미안해 말도 없이

오늘도 비가 내릴 것 같아
흠뻑 젖어버렸네
아직도 멈추질 않아
저 먹구름보다 빨리 달려가
그럼 될 줄 알았는데
나 겨우 사람인가봐
몹시 아프네

세상이란 놈이 준 감기
덕분에 눌러보는 먼지 쌓인 되감기
넘어진 채 청하는 엇박자의 춤
겨울이 오면 내쉬자
더 뜨거운 숨

끝이 보이지 않아
출구가 있긴 할까
발이 떼지질 않아 않아 oh
잠시 두 눈을 감아
여기 내 손을 잡아
저 미래로 달아나자

Like an echo in the forest
하루가 돌아오겠지
아무 일도 없단 듯이

Yeah life goes on

Like an arrow in the blue sky

또 하루 더 날아가지

On my pillow, on my table

Yeah life goes on

Like this again

이 음악을 빌려 너에게 나 전할게

사람들은 말해 세상이 다 변했대

다행히도 우리 사이는

아직 여태 안 변했네

늘 하던 시작과 끝 '안녕'이란 말로

오늘과 내일을 또 함께 이어보자고

멈춰 있지만 어둠에 숨지 마

빛은 또 떠오르니깐

끝이 보이지 않아

출구가 있긴 할까

발이 떼지질 않아 않아 oh

잠시 두 눈을 감아

여기 내 손을 잡아

저 미래로 달아나자

Like an echo in the forest

하루가 돌아오겠지

아무 일도 없단 듯이

Yeah life goes on

Like an arrow in the blue sky

또 하루 더 날아가지

On my pillow, on my table

Yeah life goes on

Like this again

I remember

I remember

I remember

I remember

사랑만이 오래 남는 것

"지금 사람들 너나없이/ 살기 힘들다, 지쳤다, 고달프다/ 심지어 화가 난다고까지 말을 한다// 그렇지만 이 대목에서도/ 우리가 마땅히 기댈 말과/부탁할 마음은 '그럼에도 불구하고'// 그럼에도 불구하고 우리는/ 밥을 먹어야 하고/ 잠을 자야 하고 일을 해야 하고// 그럼에도 불구하고 우리는/ 아낌없이 사랑해야 하고/ 조금은 더 참아낼 줄 알아야 한다// 무엇보다도 소망의 끈을/ 놓치지 말아야 한다/ 기다림의 까치발을 내리지 말아야 한다// 그것이 날마다 아침이 오는 까닭이고/ 봄과 가을 사계절이 있는 까닭이고/ 어린 것들이 우리와 함께하는 이유이다."

인용이 좀 길었지? 이것은 얼마 전에 내가 쓴 「그럼에도 불구하고」란 제목의 시야. 영어로 말하면 'nevertheless.' "그렇기는 하지만, 그럼에도 불구하고." 때로 우리의 삶은 콱 막힌 외통수 길처럼 막막할 때가 있어. 한 번만 그런 것이 아니고 여러 번, 특정한 사람에게만 그런 게 아니고 누구에게나 마찬가지로.

그런 때 듣고 싶은 노래가 이런 노래야. 그런 형편은 예원이 너와 같은 젊은 친구들도 마찬가지일 거야. 그런 때 우리가 가져야 할 마음가짐은 절대로 포기하지 않는다는 것이고 그 자리에 주저앉지 않는다는 것이지. 이런 말이라도 가슴에 안고 버텨야만 해. "이것 또한 지나가리라." 그런 형편은 이 노래의 소년도 마찬가지야.

"오늘도 비가 내릴 것 같아/ 흠뻑 젖어버렸네/ 아직도 멈추질 않아/ 저 먹구름보다 빨리 달려가/ 그럼 될 줄 알았는데/ 나 겨우 사람인가봐/ 몹시 아프네/ 세상이란 놈이 준 감기/ 덕분에 눌러보는 먼지 쌓인 되감기/ 넘어진 채 청하는 엇박자의 춤/ 겨울이 오면 내쉬자/ 더 뜨거운 숨."

하지만 우리 노래의 소년은 슬기롭게도 탈출하는 방법을 이미 알고 있지. 그것은 상상의 세계, 미래의 세상으로 떠나는 거야. '숲의 메아리처럼' 돌아오는 하루를 믿고 '파란 하늘의 화살처럼' 하루를 또 날아보는 것이지. 그렇게 '삶은 계속돼'서 나는 점점 좋아지는 것이지.

멈춘 듯하지만 멈추지 않고 느린 듯하지만 결코 느리지 않은 것이 우리네 삶이야. 쉼 없이 흐르고 속으로는 빠른 물살을 안은 것이 강물이듯이 말이야. 어찌해야 할까? 끝까지 사랑을 가슴에 안는 거야. 그 방법밖엔 없어. 사랑만이 오래 남는 것이지. 아니야. 사랑의 기억만이 오래 남아 꽃이 되는 것이지.

"이 음악을 빌려 너에게 나 전할게/ 사람들은 말해 세상이 다 변했대/ 다행히도 우리 사이는/ 아직 여태 안 변했네// 늘 하던 시작과 끝 '안녕'이란 말로/ 오늘과 내일을 또 함께 이어보자고/ 멈춰 있지만 어둠에 숨지 마/ 빛은 또 떠오르니깐." 우리도 소년의 손을 잡고 미래로 상상의 세상으로 떠나보자꾸나.

Blue & Grey

Where is my angel
하루의 끝을 드리운
Someone come and save me, please
지친 하루의 한숨뿐

사람들은 다 행복한가봐
Can you look at me? Cuz I am blue & grey
거울에 비친 눈물의 의미는
웃음에 감춰진 나의 색깔 blue & grey

어디서부터 잘못됐는지 잘 모르겠어
나 어려서부터 머릿속엔 파란색 물음표
어쩜 그래서 치열하게 살았는지 모르지
But 뒤를 돌아보니 여기 우두커니 서니
나를 집어삼켜버리는 저 서슬 퍼런 그림자
여전히도 파란색 물음표는

과연 불안인지 우울인지

어쩜 정말 후회의 동물인지

아니면은 외로움이 낳은 나일지

여전히 모르겠어 서슴 퍼런 블루

잠식되지 않길 바래 찾을 거야 출구

I just wanna be happier

차가운 날 녹여줘

수없이 내민 나의 손

색깔 없는 메아리

Oh this ground feels so heavier

I am singing by myself

I just wanna be happier

이것도 큰 욕심일까

추운 겨울 거리를 걸을 때 느낀

빨라진 심장의 호흡 소릴

지금도 느끼곤 해

괜찮다고 하지 마
괜찮지 않으니까
제발 혼자 두지 말아줘 너무 아파

늘 걷는 길과 늘 받는 빛
But 오늘은 왠지 낯선 scene
무뎌진 걸까 무너진 걸까
근데 무겁긴 하다 이 쇳덩인
다가오는 회색 코뿔소
초점 없이 난 덩그러니 서 있어
나답지 않아 이 순간
그냥 무섭지가 않아

난 확신이란 신 따위 안 믿어

색채 같은 말은 간지러워
넓은 회색지대가 편해
여기 수억 가지 표정의 grey
비가 오면 내 세상
이 도시 위로 춤춘다
맑은 날엔 안개를
젖은 날엔 함께 늘
여기 모든 먼지들
위해 축배를

I just wanna be happier
내 손의 온길 느껴줘
따뜻하지가 않아서 네가 더욱 필요해
Oh this ground feels so heavier
I am singing by myself
먼 훗날 내가 웃게 되면

말할게 그랬었다고

허공에 떠도는 말을 몰래 주워 담고 나니

이제 새벽잠이 드네 good night

소망과 우울과

이 또한 자화상이네. 하루를 힘겹게 우울하게 보내고, '회색 코뿔소'가 와도 '초점 없이' '덩그러니 서 있는' 한 청년의 하소연이야. 둘러보면 남들은 모두 행복한 것 같은데 나만 버림받은 것 같고 불행한 것 같아 불안하고 어두운 마음이야. 왜 우리에게도 가끔은 그런 날이 있지 않니?

"Where is my angel" 나의 천사는 어디 있나요? 차라리 그건 애달픔이야. "Someone come and save me, please" 누가 와서 나를 좀 살려줘요. 이건 신음하는 소리와 다름없어. "지친 하루의 한숨뿐"으로 버티는 이 소년은 자신의 지난날을 돌아봐. 자신에게도 소망이 있었음을 알게 돼.

Blue, 푸른빛. 하지만 그것은 물음표를 단 파란빛이야. 그러기에 더욱 소망은 떨리고 불안하고 어둡고 춥고 가난하기 마련이지. 나도 젊은 시절엔 그랬어. 소망이 있긴 있는데 그 무엇도 가능성이 없었거든. 그러기에 소망은 더욱 힘든 마음을 안겨주곤 했지.

어쩌면 밤하늘의 별과 같은 것이었다 할까. 도와줄 사람이 필요했어. 그렇지. 어디선가 불쑥 나와서, 추워서 떠는 나를 따뜻하게 만들어주고 불안한 나를 감싸 안아주는 천사가 있어야만 했어. 그러나 어디서도 천사는 나타나지 않았고 누구도 나를 구원해주지 않았어. 오직 나 혼자의 힘으로만 일어서야 했지.

"I just wanna be happier" 나는 더 행복해지고 싶어. "Oh this ground feels so heavier" 이 땅이 참 무겁게 느껴져. "I am singing by myself" 난 홀로 노래해. "I just wanna be happier" 난 더 행복해지고 싶은데. 끝내 절망할 수만은 없는 소년의 마지막 남은 속삭임이야.

파란빛과 회색빛 사이를 오가면서 소년은 그래도 기죽지 않고 자신에게 주어질 밝은 날과 행복한 날을 꿈꾸지. 끝끝내 포기할 줄 모르는 마음이야. 언제가 될지 모르지만 분명히 자신이 웃게 될 먼 훗날을 위해 오늘의 회색빛을 조금은 접어두기로 해. 그래서 회색빛을 파란빛으로 바꾸기도 해.

필요한 것은 서로의 온기야. 손길에서 오는 온기. 눈빛에서 나오는 부드러운 온기. 내가 누군가의 온기를 대신해줄 수는 없지만, 느끼게 할 수는 없지만 조금씩 나눌 수는 있다고 봐. 오늘날 우리에게 필요한 것은 바로 그거야. 그러할 때 우리는 결코 회색빛에 주눅 들지 않을 수 있다고 봐.

예원아, 지금은 새벽 시간. 일찍 자고 일어나 잠시 글을 쓰는 시간이야. 이 시간에 노래의 주인공은 "허공에 떠도는 말을 몰래 주워 담고" '새벽잠'이 들면서 'good night' 자신에게 인사를 해. 한 시절 나의 초상이기도 했고 오늘날 너의 초상이기도 한 이 소년을 향해 나도 인사를 해. 소년아, 무소의 뿔처럼 혼자서 가라. 당당하게, 외롭지만 당당하게.

잠시

매번 같은 하루들 중에
너를 만날 때 가장 난 행복해
매번 다른 일상들 속에
너란 사람은 내게 가장 특별해

별일은 없지
아픈 곳은 없겠지
난 요즘에 글쎄
붕 떠버린 것 같아
많은 시간 덕에
이런 노랠 쓰네
이건 너를 위한 노래
Yeah 노래 yeah 노래

자 떠나자 푸른 바다로
우리가 함께 뛰어놀던 저 푸른 바다로

괜한 걱정들은 잠시
내려놓은 채로 잠시
우리끼리 즐겨보자 함께 추억하는
푸른 바다 한가운데 작은 섬

비록 지금은 멀어졌어도
우리 마음만은 똑같잖아
내 곁에 네가 없어도 yeah
네 곁에 내가 없어도 yeah
우린 함께인 걸 다 알잖아

매번 같은 하루들 중에
너를 만날 때 가장 난 행복해
매번 다른 일상들 속에
너란 사람은 내게 가장 특별해

아침 들풀처럼 일어나

거울처럼 난 너를 확인

눈꼽 대신 너만 묻었다 잔뜩

또 무겁다 멍 많은 무르팍이

거릴 거닐며 생각해 이 별이

허락해주는 우리의 거리

Oh can I be your Bibilly Hills

Like you did the same to me

(Baby)

너무 빠른 건 조금 위험해

너무 느린 건 조금 지루해

너무 빠르지도 않게

또는 느리지도 않게

우리의 속도에 맞춰 가보자고

이건 꽤나 긴 즐거운 롤러코스터

비록 지금은 멀어졌어도
우리 마음만은 똑같잖아
내 곁에 네가 없어도 yeah
네 곁에 내가 없어도 yeah
우린 함께인 걸 다 알잖아

매번 같은 하루들 중에
너를 만날 때 가장 난 행복해
매번 다른 일상들 속에
너란 사람은 내게 가장 특별해

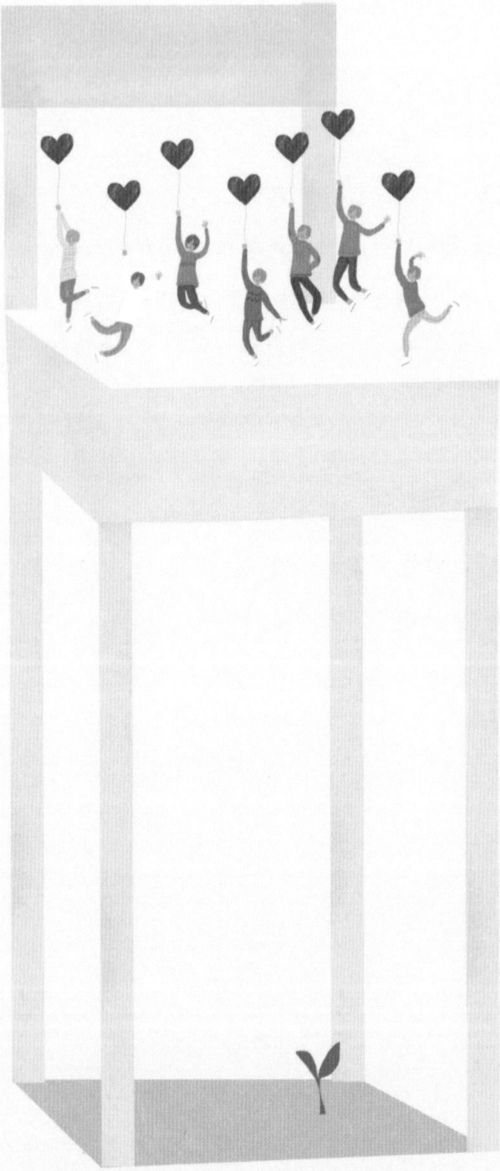

혼자서도 사랑

"내가 너를/ 얼마나 좋아하는지/ 너는 몰라도 된다// 너를 좋아하는 마음은/ 오로지 나의 것이요/ 나의 그리움은/ 나 혼자만의 것으로도/ 차고 넘치니까……// 나는 이제/ 너 없이도 너를/ 좋아할 수 있다." 이건 내가 쓴 「내가 너를」이란 시야.

이 시는 내가 30대 초반에 쓴 작품이야. 오랫동안 마음속으로만 좋아했던 여자 친구가 있었는데, 그녀를 생각하면서 쓴 시야. 일종의 짝사랑 시지. 하기는 사람의 사랑 가운데 짝사랑이 아닌 사랑은 없다고 봐. 짐짓 서로 마주 보며 정다운 것처럼 보이는 사랑도 순간순간은 짝사랑이라고 봐.

아니야, 혼자서도 잘 견뎌내는 사랑이라고 봐. 사랑하는 대상이 비록 멀리 있고 내가 지금 여기 혼자 있어도 그 사람을 사랑하는 마음의 힘으로 충분히 행복하고 따뜻한 나 자신이라고 봐. 그렇게 사랑의 힘은 막강하면서 신비하고 멀리까지 가는 향기와 같아.

“비록 지금은 멀어졌어도/ 우리 마음만은 똑같잖아/ 내 곁에 네가 없어도 yeah/ 네 곁에 내가 없어도 yeah/ 우린 함께인 걸 다 알잖아.” 노래의 주인공도 마찬가지야. 서로 멀리 떨어져 살아도 그 사람을 사랑하는 마음이 내 가슴에 있기에 나는 충분히 나의 외로움과 고달픔을 이겨낼 수 있지.

“자 떠나자 푸른 바다로/ 우리가 함께 뛰어놀던 저 푸른 바다로/ 괜한 걱정들은 잠시/ 내려놓은 채로 잠시/ 우리끼리 즐겨보자 함께 추억하는/ 푸른 바다 한가운데 작은 섬.” 이거야말로 사랑의 도피이고 사랑을 위한 잠적이고 사랑을 위한 소멸이네. 그곳은 어디쯤 있을까? 실은 없어도 좋겠지. 상상만으로도 우리는 ‘잠시’ 행복할 수 있고 충만할 수 있어. 이것도 하나의 축복이고 능력인 것이지.

“너무 빠른 건 조금 위험해/ 너무 느린 건 조금 지루해/ 너무 빠르지도 않게/ 또는 느리지도 않게/ 우리의 속도에 맞춰 가보자고/ 이건 꽤나 긴 즐거운 롤러코스터.” 이 소년은 매우 지혜로워. 인생의 본질이 무엇인지를 알고 또 인생을 즐길 줄 알아. 인생을 '즐거운 롤러코스터'로 보았네. 올라갔다가 내려오고 또 그러기를 반복하는 게임으로 말야. 그래, 인생을 너무 심각하게 보지 않기. 이것도 하나의 삶의 방법이고 지혜 그것인지 몰라.

에필로그

의자 하나 옆에 놓고

처음 내가 출판사로부터 이런 책을 한번 내보자 제안받았을 때 조금은 당황스럽고 자신이 없었지. 나하고는 아주 많이 안 어울리는 일이라 여겼고, 왜 내가 이런 일을 맡아야 하나 그런 의문이 들기도 했지. 하지만 거절을 잘 하지 못하는 성격 때문에 슬그머니 내 일이 되고 말았지.

새로운 책을 쓸 때면 언제나 그렇듯이 나는 이 책을 읽어 줄 사람을 생각했어. 바로 떠오른 사람이 예원이, 바로 너였어. 그래서 너에게 이메일을 보내고 출판사로부터 온 가사 원문을 보내고 가사 내용 구석구석에 나오는 영어를 좀 번역해달라 그랬지. 그런데 네가 친절하게 번역을 달아 나에게 또 보내준 거야.

그 뒤로 몇 날을 이 원고와 함께했던 거야. 물론 깊은 밤 시간을 이용해서 컴퓨터 앞에 앉아 컴퓨터에 직접 문장들을 써나갔지. 그럴 때 나는 내 의자 옆에 또 하나의 의자를 마련하고 그 의자에 너를 불러 앉히고 너에게 중얼중얼 말을 하면서 이 책을 썼어. 이 또한 특별하고 신선한 경험이었어.

예원아, 너도 알다시피 BTS, 그들의 노래는 묘한 매력을 지니고 있어. 한마디로 말해 그들의 노래는 거시적이면서도 미시적이라 할 수 있어. 매크로, 광활한 우주를 품고 있으면서 마이크로, 일상적이고 소소한 개인의 그리움과 사랑을 담고 있지. 스케일이 다르고 심도가 다르다고 보아야 해.

그리고 BTS, 그들이 부르는 노래는 대상을 바라보는 관점이나 시각이 기상천외해. 매우 새롭다는 얘기지. 하지만 내용만은 너무나도 일상적이고 개인적이어서 친근함을 느끼게 해. 따뜻하고 사랑스러워. 이게 또 그들이 부르는 노래의 특징이고 누구도 넘볼 수 없는 매력이라고 생각해.

결국은 여기서도 나는 공자님의 말씀인 온고지신(溫故知新)을 읽어. 본래의 뜻은 '옛것을 익히고 그것을 미루어서 새것을 앎'인데 나는 그 말을 또 이렇게 해석해. "옛것을 소중히 여기면서 새로운 것을 추구한다." 굳이 다른 말로 표현한다면 이런 말이 되기도 해. "오래된 술을 새 부대에 담는다."

BTS의 리더 RM은 어떤 수상소감에서 이렇게 말했다고 해. "방탄의 모든 노래는 팬들에게 보내는 팬레터입니다. 우리는 서로의 팬이자 서로의 아이돌입니다." 이러한 순환구조. 끊임없이 주고받는 선순환(善循環)이 결국 그들의 존재감과 인기를 더욱 끌어올린다고 봐.

나는 너다. 너와 내가 하나도 다르지 않다는 동질감(同質感) 같은 것. 피아일체(彼我一體). 이것은 이 시대를 살아가는 우리에게 아주 많이 필요하고 또 중요한 삶의 태도요, 에너지 그 자체라고 봐.

예원아, 잠시지만 이런 책을 통해 너와 함께한 시간을 고맙게 생각해. 너도 나와 함께 BTS가 왜 BTS인가를 이해했을 거야. 나도 이런 책을 통해서 알지 못했던 새로운 세계, 젊은이들의 생각과 꿈을 이해할 수 있게 되어 매우 감사하게 생각해. 이 책은 나의 책이면서 너의 책이기도 해. 고마워.

끝으로 네가 문자메시지로 전해준 말을 여기에 옮기면서 나의 책을 마칠까 해. 실은 네 생각이 내 생각이었거든. 또 한 번의 이심전심이지. "방탄이 인기 있는 이유 중 하나는 노래를 통해 팬들에게 고마움을 표현하고 같이 행복해지자고, 널 위로해주고 싶다고 말하기 때문일 거예요."

PART 1

작은 것들을 위한 시(Boy With Luv)

작사 Pdogg, RM, Melanie Joy Fontana, Michel Lindgren Schulz, "Hitman" Bang, SUGA, Emily Weisband, j-hope, Halsey

작곡 Pdogg, RM, Melanie Joy Fontana, Michel Lindgren Schulz, "Hitman" Bang, SUGA, Emily Weisband, j-hope, Halsey

Boy With Luv

Words and Music by Namjun Kim, Si Hyuk Bang, Ho-seok Jung, Kang Hyo-won, Yunki Min, Michel Schulz, Emily Weisband, Ashley Frangipane and Melanie Joy Fontana

Tomorrow

작사 Supreme Boi, RM, j-hope, SUGA

작곡 Supreme Boi, RM, j-hope, SUGA

Rain
작사 Slow Rabbti, RM, j-hope, SUGA
작곡 Slow Rabbti, RM, j-hope, SUGA

Intro : 화양연화
작사 Slow Rabbit, SUGA
작곡 Slow Rabbit, SUGA

이사
작사 Pdogg, RM, SUGA, j-hope
작곡 Pdogg, RM, SUGA, j-hope

Butterfly
작사 "hitman" bang, Slow Rabbit, Pdogg, 브라더수(BrotherSu), RM, SUGA, j-hope
작곡 "hitman" bang, Slow Rabbit, Pdogg, 브라더수(BrotherSu), RM, SUGA, j-hope

Whalien 52
작사 Pdogg, 브라더수(BrotherSu), "hitman" bang, RM, SUGA, j-hope, Slow Rabbit
작곡 Pdogg, 브라더수(BrotherSu), "hitman" bang, RM, SUGA, j-hope, Slow Rabbit

고엽
작사 SUGA, Slow Rabbit, 정국, "hitman" bang, RM, j-hope, Pdogg
작곡 SUGA, Slow Rabbit, 정국, "hitman" bang, RM, j-hope, Pdogg

Save ME
작사 Pdogg, Ray Michael Djan Jr, Ashton Foster, Samantha Harper, RM, SUGA, j-hope
작곡 j-hope, SUGA, RM, Pdogg, Samantha Harper, Ray Michael Djan Jr, Ashton Foster

EPILOGUE : Young Forever
작사 Slow Rabbit, RM, "hitman" bang, SUGA, j-hope
작곡 Slow Rabbit, RM, "hitman" bang, SUGA, j-hope

Reflection
작사 RM, Slow Rabbit
작곡 RM, Slow Rabbit

Lost
작사 Pdogg, Supreme Boi, Peter Ibsen, Richard Rawson, Lee Paul Williams, RM, 준(JUNE)
작곡 Pdogg, Supreme Boi, Peter Ibsen, Richard Rawson, Lee Paul Williams, RM, 준(JUNE)

Lost
Words and Music by Dong Hyuk Shin, Ho Weon Kang, Jun Sang Lee, Namjun Kim, Richard Rawson, Lee Paul Williams and Peter Ibsen

둘! 셋! (그래도 좋은 날이 더 많기를)
작사 Slow Rabbit, Pdogg, "hitman" bang, RM, j-hope, SUGA
작곡 Slow Rabbit, Pdogg, "hitman" bang, RM, j-hope, SUGA

봄날
작사 Pdogg, RM, ADORA, "hitman" bang, Arlissa Ruppert, Peter Ibsen, SUGA
작곡 Pdogg, RM, ADORA, "hitman" bang, Arlissa Ruppert, Peter Ibsen, SUGA

Spring Day
Words and Music by Ho Weong Kang, Namjun Kim, Si Hyuk Bang, Soo Hyun Park, Yunki Min, Arlissa Ruppert and Peter Ibsen

Outro : Wings
작사 Pdogg, ADORA, RM, j-hope, SUGA
작곡 Pdogg, ADORA, RM, j-hope, SUGA

PART 2

Intro : Serendipity
작사 Slow Rabbit, Ray Michael Djan Jr, Ashton Foster, RM, "hitman" bang
작곡 "hitman" bang, Slow Rabbit, RM, Ray Michael Djan Jr, Ashton Foster

Best Of Me
작사 "hitman" bang, j-hope, RM, SUGA, Pdogg, Andrew Taggart, Ray Michael Djan Jr, Ashton Foster, ADORA, Sam Klempner
작곡 Andrew Taggart, Pdogg, Ray Michael Djan Jr, Ashton Foster, Sam Klempner, RM, "hitman" bang, SUGA, j-hope, ADORA

전하지 못한 진심
작사 Steve Aoki, Roland Spreckley, Jake Torrey, Noah Conrad, Annika Wells, RM, Slow Rabbit
작곡 Steve Aoki, Roland Spreckley, Jake Torrey, Noah Conrad, Annika Wells, RM, Slow Rabbit

134340
작사 Pdogg, ADORA, 정바비, RM, Martin Luke Brown, Orla Gartland, SUGA, j-hope
작곡 Pdogg, ADORA, 정바비, RM, Martin Luke Brown, Orla Gartland, SUGA, j-hope

Love Maze
작사 Pdogg, Jordan "DJ Swivel" Young, Candace Nicole Sosa, RM, SUGA, j-hope, 정바비, ADORA, 윤기타
작곡 Pdogg, Jordan "DJ Swivel" Young, Candace Nicole Sosa, RM, SUGA, j-hope, 정바비, ADORA, 윤기타

Magic Shop
작사 정국, Hiss noise, RM, Jordan "DJ Swivel" Young, Candace Nicole Sosa, ADORA, j-hope, SUGA
작곡 정국, Hiss noise, RM, Jordan "DJ Swivel" Young, Candace Nicole Sosa, ADORA, j-hope, SUGA

Euphoria
작사 Jordan "DJ Swivel" Young, Candace Nicole Sosa, Melanie Joy Fontana, "hitman" bang, Supreme Boi, ADORA, RM
작곡 Jordan "DJ Swivel" Young, Candace Nicole Sosa, Melanie Joy Fontana, "hitman" bang, Supreme Boi, ADORA, RM

Euphoria
Words and Music by Dong Hyuk Shin, Namjun Kim, Si Hyuk Bang, Hyun Sook Park, Melanie Joy Fontana, Jordan Young and Candace Sosa

Trivia 承 : Love
작사 Slow Rabbit, RM, Hiss noise
작곡 Slow Rabbit, RM, Hiss noise

I'm Fine
작사 Pdogg, Ray Michael Djan Jr, Ashton Foster, Lauren Dyson, RM, 정바비,

윤기타, Jordan “DJ Swivel” Young, Candace Nicole Sosa, SUGA, j-hope, Samantha Harper
작곡 Pdogg, Ray Michael Djan Jr, Ashton Foster, Lauren Dyson, RM, 정바비, 윤기타, Jordan “DJ Swivel” Young, Candace Nicole Sosa, SUGA, j-hope, Samantha Harper

I'm Fine
Words and Music by Dae Wook Jung, Ho Weon Kang, Hoseok Jeong, Min Young Yoon, Namjun Kim, Yunki Min, Ashton Foster, Michael Djan, Samantha Harper, Candace Sosa, Jordan Young and Lauren Dyson

Answer : Love Myself
작사 Pdogg, 정바비, Jordan “DJ Swivel” Young, Candace Nicole Sosa, RM, SUGA, j-hope, Ray Michael Djan Jr, Ashton Foster, Conor Maynard
작곡 Pdogg, 정바비, Jordan “DJ Swivel” Young, Candace Nicole Sosa, RM, SUGA, Ray Michael Djan Jr, Ashton Foster, Conor Maynard

PART 3

Intro : Persona
작사 Hiss noise, RM, Pdogg
작곡 Hiss noise, RM, Pdogg

소우주(Mikrokosmos)

작사 Matty Thomson, Max Lynedoch Graham, Marcus McCoan, Ryan Lawrie, Camilla Anne Stewart, RM, SUGA, j-hope, Jordan "DJ Swivel" Young, Candace Nicole Sosa, Melanie Joy Fontana, Michel 'Lindgren' Schulz

작곡 Matty Thomson, Max Lynedoch Graham, Marcus McCoan, Ryan Lawrie, Camilla Anne Stewart, RM, SUGA, j-hope, Jordan "DJ Swivel" Young, Candace Nicole Sosa, Melanie Joy Fontana, Michel 'Lindgren' Schulz

Mikrokosmos

Words and Music by Max Graham, Marcus McCoan, Matthew Thomson, Camilla Stewart, Hoseok Jeong, Michel Schulz, Namjun Kim, Yunki Min, Melanie Fontana, Candance Sosa, Jordan Young and Ryan Lawrie

Make It Right

작사 Fred Gibson, Ed Sheeran, Benjy Gibson, Jo Hill, RM, SUGA, j-hope

작곡 Fred Gibson, Ed Sheeran, Benjy Gibson, Jo Hill, RM, SUGA, j-hope

Make It Right

Words and Music by Hoseok Jeong, Namjun Kim, Yunki Min, Ed Sheeran, Benjy Gibson, Fred Gibson and Jo Hill

Promised Land Music Ltd.
All Rights on behalf of Sony Music Publishing (UK) Ltd. Administered by Sony Music Publishing (US) LLC, 424 Church Street, Suite 1200, Nashville, TN 37219
All Rights on behalf of Promised Land Music Ltd. Administered by Universal Music Publishing Ltd.
International Copyright Secured All Rights Reserved
Reprinted by Permission of Hal Leonard LLC

00:00 (Zero O'Clock)
작사 Pdogg, RM, Jessie Lauryn Foutz, Antonina Armato
작곡 Pdogg, RM, Jessie Lauryn Foutz, Antonina Armato

친구
작사 Pdogg, Supreme Boi, 지민, ADORA, Martin Sjølie, 스텔라장(Stella Jang)
작곡 Pdogg, Supreme Boi, 지민, ADORA, Martin Sjølie, 스텔라장(Stella Jang)

Moon
작사 Slow Rabbit, RM, 진(Jin), ADORA, Jordan "DJ Swivel" Young, Candace Nicole Sosa, Daniel Caesar, Ludwig Lindell
작곡 Slow Rabbit, RM, 진(Jin), ADORA, Jordan "DJ Swivel" Young, Candace Nicole Sosa, Daniel Caesar, Ludwig Lindell

Moon
Words and Music by Do Hyung Kwon, Namjun Kim, Seok Jin Kim, Soo Hyun Park, Candace Sosa, Jordan Young, Daniel Caesar and Ludwig Lindell
Copyright © 2018 Hybe Co. Ltd., DJ Swivel Music LLC, Universal Music Publishing AB and The Kennel AB
All Rights on behalf of DJ Swivel Music LLC Administered by Sony Music Publishing (US) LLC, 424 Church Street, Suite 1200, Nashville, TN 37219
All Rights on behalf of The Kennel AB Administered by Universal Music Publishing AB
International Copyright Secured All Rights Reserved
Reprinted by Permission of Hal Leonard LLC

We are Bulletproof : the Eternal

작사 Audien, RM, Henrik Michelsen, Sophie 'Frances' Cooke, Etta Zelmani, Cazzi Opeia (Sunshine), Ellen Berg (Sunshine), Wille Tannergard, Gusten Dahlqvist, Jordan "DJ Swivel" Young, Candace Nicole Sosa, SUGA, j-hope, Elohim, Antonina Armato, Alexander Magnus Karlsson, Alexei Viktorovitch, July Jones, Amelia Toomey

작곡 Audien, RM, Henrik Michelsen, Sophie 'Frances' Cooke, Etta Zelmani, Cazzi Opeia (Sunshine), Ellen Berg (Sunshine), Wille Tannergard, Gusten Dahlqvist, Jordan "DJ Swivel" Young, Candace Nicole Sosa, SUGA, j-hope, Elohim, Antonina Armato, Alexander Magnus Karlsson, Alexei Viktorovitch, July Jones, Amelia Toomey

We Are Bulletproof: The Eternal

Words and Music by Henrik Michelsen, Amelia Toomey, Candace Sosa, Jordan Young, Sophie Cooke, Nathaniel Rathbun, Elohim, Antonina Armato, Gusten Dahlqvist, Julija Aljaz, Wille Tannergaard, Ellen Tollbom, Moa Carlebecker, Alexander Karlsson, Alexej Viktorovitch, Kim Nam Jun, Min Yoon Gi, Ho Seok Jeong and Etta Zelmani

Life Goes On

작사 Pdogg, RM, Ruuth, Chris James, Antonina Armato, SUGA, j-hope
작곡 Pdogg, RM, Ruuth, Chris James, Antonina Armato, SUGA, j-hope

Life Goes On

Words and Music by Ho Weong Kang, Hoseok Jeong, Namjun Kim, Yunki Min, Alina Paulsen, Antonina Armato and Christopher Brenner

Blue & Grey

작사 Jisoo Park(153/Joombas), Levi, V, Hiss noise, SUGA, RM, j-hope, Metaphor
작곡 Jisoo Park(153/Joombas), Levi, V, Hiss noise, SUGA, RM, j-hope, Metaphor

잠시

작사 SUGA, EL CAPITXN, Hiss noise, RM, 정국
작곡 SUGA, EL CAPITXN, Hiss noise, RM, 정국

작은 것들을 위한 시

초판 1쇄 발행 2022년 1월 20일
초판 4쇄 발행 2022년 1월 28일

지은이 나태주
그린이 지연리
펴낸이 정중모
펴낸곳 도서출판 열림원

출판등록 1980년 5월 19일(제406-2000-000204호)
주소 경기도 파주시 회동길 152
전화 031-955-0700
팩스 031-955-0661
홈페이지 www.yolimwon.com
이메일 editor@yolimwon.com
페이스북 /yolimwon
트위터 @yolimwon
인스타그램 @yolimwon

주간 김현정
편집 조혜영 황우정 최연서
디자인 강희철
저작권 서경진
마케팅 홍보 김선규 임윤정
온라인사업 서명희
제작 관리 윤준수 이원희 고은정 원보람

ISBN 979-11-7040-067-7 03810